Leo Slezak ist einer der größten Tenöre deutscher Zunge gewesen, ein Mann mit einer Stimme, die der Carusos gewachsen war. Vierunddreißig Jahre gehörte er dem Ensemble der Wiener Staatsoper an, die zur Heimat seiner Kunst wurde. Er wurde 1873 als Sohn eines Müllers in Mährisch-Schönberg geboren. Er hätte Offizier werden sollen, entwickelte aber bald eine lausbübische Phantasie und heckte so übermütige Streiche aus, daß er strafweise von der Realschule entfernt wurde. Als Schlosserlehrling in Brünn sang er abends in einem Chor und arbeitete als Statist am Stadttheater. Hier entdeckte ihn der Bariton Adolf Robinson. Er war von der Stimme des jungen Mannes so entzückt, daß er ihn kostenlos ausbildete. Aber ehe Slezak als «Lohengrin» debütieren konnte, mußte er sich noch als Schreiber bei einem Advokaten und als Agent einer Pflaumenmusfabrik verdingen. Dann jedoch setzte sich die verschwenderisch mächtige Stimme schnell durch. Die Berliner Oper engagierte Slezak, doch ging er noch einmal nach Breslau, um sein Repertoire zu erweitern. Schließlich holte Gustav Mahler ihn an die Wiener Staatsoper. Triumphale Gastspielreisen führten ihn durch ganz Europa, nach Nord- und Südamerika. Auf der Höhe seines Ruhms entsagte der Mann, der nicht nur ein einzigartiger Sänger, sondern ein weiser und gewitzter Lebenskünstler und ein vollblütiger Daseinsgenießer war, der Bühne und begnügte sich mit komisch-liebenswürdigen Filmrollen. 1944 starb seine Frau, die Schauspielerin Elsa Wertheim, mit der er eine wahrhaft ideale Ehe geführt hatte. Er überlebte sie, die ihn überallhin begleitet hatte, nur um zwei Jahre.

Leo Slezak war nicht nur mit einer außerordentlichen Stimme begabt, er besaß auch einen urwüchsigen, saftigen und schlagkräftigen Humor; und als Freunde ihn ermunterten, die Erlebnisse seines Lebens und seiner Laufbahn aufzuzeichnen, schrieb er «Meine sämtlichen Werke» (rororo Nr. 329), wie er sein erstes Buch scherzhaft nannte, das köstliche Zeugnis eines glücklichen, originellen Temperaments. Nach dem großen Erfolg ließ er diesem Buch jedoch zwei weitere folgen, denen er ironisch die Titel «Der Wortbruch» (rororo Nr. 330) und «Rückfall» gab. Diese Werke sind nicht nur eine amüsante, anekdotisch gewürzte Autobiographie, die mit zahlreichen Persönlichkeiten von Bühne und Film bekannt macht, sondern eine kräftige, bis heute frische Quelle gütiger Lebensweisheit und scherzhaft weltvergnügten Frohsinns – sie sind ein beständiges Hausbuch des Humors.

Leo Slezak

RÜCKFALL

Der Sänger ist ein Fackelträger.
Solange die Fackel leuchtet, strömt
ihm die Menge nach.
Erlischt sie – steht er allein! –

Rowohlt

Umschlagentwurf Hans Hermann Hagedorn
unter Verwendung einer Textillustration
Illustrationen von Hans Kossatz

Meinem geliebten
L i e s e r l
in Dankbarkeit für viele Jahre
ungetrübten Glücks

1.–40. Tausend	September 1962
41.–48. Tausend	August 1964
49.–55. Tausend	Oktober 1965
56.–60. Tausend	November 1966
61.–68. Tausend	Juli 1967
69.–75. Tausend	April 1969
76.–80. Tausend	März 1971
81.–85. Tausend	März 1973
86.–90. Tausend	Juni 1974

Veröffentlicht im Rowohlt Taschenbuch Verlag GmbH,
Reinbek bei Hamburg, September 1962
mit freundlicher Genehmigung
des Rowohlt Verlages GmbH, Reinbek bei Hamburg
Gesetzt aus der Linotype-Cornelia
Gesamtherstellung Clausen & Bosse, Leck/Schleswig
Printed in Germany
ISBN 3 499 10501 2

VORWORT

Treuer Leser!

Wenn sich jemand meine drei Bücher kauft und sie zu Ende liest, kann ich ihn ruhig einen treuen Leser nennen, ohne in den Verdacht zu kommen, ihn durch plumpes Schmeicheln von vornherein bestechen zu wollen und für den Inhalt milde zu stimmen.

Das liegt mir fern.

Aus dem Titel sieht der treue Leser, daß ich schon wieder einen Rückfall im Nichteinhalten von Schwüren hatte.

Ich wollte das Buch erst: «Alle guten Dinge sind drei» nennen, aber aus Feingefühl sah ich davon ab, denn damit würde ich ja sagen, daß meine drei Bücher gute Dinge sind.

Rückfall ist der richtige Titel, da kann man mir keinen Strick drehen, mich höchstens als Meineidigen am laufenden Band verachten, was ich, wenn das Buch Erfolg hat, tiefbeschämt und freudig bewegt, gerne ertragen werde.

Lange habe ich wieder gekämpft, ob ich soll oder nicht soll, aber der sündige Trieb siegte.

Ich kann nichts anderes tun, als mich mit dem Dämon rechtfertigen, dem niemand auf die Dauer widerstehen kann.

Zwölf Jahre habe ich mich still und ruhig verhalten, das ist eine lange Zeit, und ich darf wohl hoffen, daß mir Absolution erteilt wird und man mir diesen Rückfall verzeiht.

Vielleicht hat man meinen Schwur schon vergessen und merkt gar nicht, daß ich — das wäre fein.

Ob das Buch meinen Lesern gefallen wird, weiß ich nicht, werde es aber aus Zuschriften, um die ich wieder herzlich bitte, erfahren.

Nehmen Sie dieses mein drittes Buch wieder in Gnaden auf und drücken Sie über die Unzulänglichkeit meiner Eide beide Augen zu.

Ich lasse nun dieses dritte Kind meiner Muse wieder hinausschleichen, es hinausflattern zu lassen, hatte ich schon beim zweiten nicht den Mut.

Nur schleichen darf es.

Hoffentlich schleicht es sich ein wenig in Ihre Herzen ein und macht Ihnen ein bißchen Freude.

Jetzt aber versichere ich feierlich, und dieses Mal können Sie sich darauf verlassen, daß es mein allerletztes Buch ist.

Es ist mein Schlußakkord.

Egern am Tegernsee, 25. April 1940.

THEATER

Das Theater, das ich schildern will, ist das Theater der Vorkriegszeit, vor 1914.

Also mag es für heute, wo die Verhältnisse ganz andere geworden sind, nicht mehr zutreffen.

Alles ist Vergangenheit, niemand kann sich getroffen fühlen, ein Schnoferl machen oder beleidigt sein.

Da ich bestimmt annehme, daß ein Großteil meiner Leser keine Ahnung hat, was ein «Schnoferl» ist, will ich es erläutern.

Schnoferl kommt von schnofeln.

Schnofeln kann man teils aus Noblesse, teils aus schlechter Gewohnheit, die einer gewissen Redefaulheit entspringt, wie bei Helgalein, meiner Enkelin.

Die schnofelt.

Nicht aus Noblesse, vielmehr weil sie sich nicht die Mühe nimmt, die Worte im Mund präzise zu formen, sondern diese mit schlamperter, nasaler Gelässigkeit ihrer Speiseröhre entströmen läßt.

Sie ist mein Liebling, meine Zuckermaus — aber sie schnofelt.

Wenn also in Wien jemand über etwas pikiert ist, verzieht er den Mund zum Schnofeln.

Er zieht die Augenbrauen in die Höhe, macht den Mund kraus, weitet die Nasennüstern und ist beleidigt.

Das nennt man dann einen Schnoferl, einen Flunsch.

Einen Flunsch zu erläutern, würde ins Uferlose führen, darum will ich davon absehen.

Ich bin überzeugt, daß jetzt jeder meiner Leser im Bilde ist.

Alle, die diese Erinnerungen in mir erwecken, sind längst diesen letzten Weg gegangen, und doch waren sie einmal in ihrer Sphäre mächtig und gewichtig.

Das Theater in seiner damaligen Gestalt, die kleinen Provinzbühnen oder gar die Schmiere, sind heute nicht mehr gut möglich, weil doch in jeder Bauernhütte ein Radio steht, das die besten und leckersten Kunstgenüsse vermittelt.

Die einfachsten Menschen werden durch das viele Hören und Immerwiederhören, ohne daß sie es wollen, erzogen und würden heute ganz mittelmäßige oder gar minderwertige Kunstleistungen, die früher in den kleinen Städten und Dörfern an der Tagesordnung waren, durch Schimpfen und Fernbleiben ablehnen.

Schimpfen ginge noch, aber Fernbleiben!!! — Fürchterlich!

Ich habe Gelegenheit gehabt, alle diese verschiedenen Niveaus der Theater kennenzulernen.

Vom grandiosen Betrieb der Metropolitanoper in New York, über die größten Hoftheater, wie Wien, Berlin, Dresden und so weiter, herab zu den größeren und kleinen Provinztheatern.

Auch die Schmiere lernte ich als Siebzehnjähriger in Steiermark kennen, allerdings nur als eintägiger Gast.

Ich war in der Nähe von Wildon in Untersteiermark bei Verwandten zu Besuch.

Damals war ich in meinem stürmischsten und sehnsuchtsreichsten Theaterdelirium.

Der Direktor einer Wandertruppe kam persönlich zu den Honoratioren, wie er sagte, und lud zum Besuche der Vorstellungen devotest ein. Ich stellte mich ihm als zukünftiger Komiker und Charakterdarsteller vor.

Der Direktor sah mich wohlwollend an und fragte, ob ich denn nicht an seinem Theater eine schöne Rolle spielen möchte.

Wie von einem elektrischen Schlag getroffen, sagte ich beseligt zu.

Herrlich! —

Ich wählte ein altes Bauernstück, das damals sehr viel gegeben wurde: «'sNullerl.»

Einen achtzigjährigen Greis hatte ich darzustellen, der der Mittelpunkt des Stückes war.

Diese Rolle hatte ich, wie so viele andere, gut studiert, und so stand ich, als zahnloser Achtziger, mit meinen siebzehn Jahren auf den weltbedeutenden Brettern in Wildon, im Gasthof zum himmelblauen Ochsen.

Ich weiß mich nicht mehr so recht zu erinnern, wie die Sache eigentlich stattfand, weiß nur, daß das Personal aus der Familie des Direktors bestand und daß es sehr, sehr traurig war.

Eine unvorstellbare Armut.

In einem Wirtshause dritter Ordnung war ein Podium aufgestellt, armselige Kulissen, auf beiden Seiten bemalt, auf einer Seite Gebirgslandschaft, auf der anderen ein schmutziger Salon, wobei es keine Rolle spielte, wenn man sich irrte und eine Waldszene in einer Salondekoration spielte.

Ein kleiner Wohnwagen, in dem und auf dessen Dache das ganze Theater, inklusive Personal, mitgeführt wurde.

Es war jammervoll und hat sogar auf mich, der ich doch bis zum Rande mit Begeisterung für das Theater angefüllt war, recht ernüchternd gewirkt.

Mein Erfolg scheint nicht allzu epochal gewesen zu sein, denn trotz aller Schmieragen konnte man meinem Gesicht keine achtzig Jahre aufmalen.

Proben hatten auch nur zwei sehr flüchtige stattgefunden, bei denen alle Schauspieler markierend ablasen und meinten: «Auf die Nacht wird es schon gehen.»

Der einzige Erfolg war ein voller Saal, der diese armen Menschen zwei bis drei Tage der Nahrungssorgen enthob.

Dieses Debüt war ziemlich unerfreulich, und wie aus weiter Ferne fühle ich das Unbehagen noch in der Erinnerung.

Allerdings war dieses sogenannte Theater die tiefste Stufe, die auf diesem Gebiete zu erreichen ist.

Tiefer geht es nicht mehr.

Dann gab es natürlich Wandertheater höheren Ranges, wo ehrlich gearbeitet wurde und alles von einem gewissen Idealismus getragen war, der aber, wenn schlechter Besuch kam und der Hunger regierte, leicht in die Binsen ging.

Diese Theater gehörten schon Generationen derselben Familie, und ihre Direktoren setzten allen Stolz darein, würdig an würdiger Stelle zu stehen.

Ihr Fundus war verhältnismäßig reichhaltig und anständig, das Personal bestand meist aus begeisterten Kunstjüngern, die sich da ihre Sporen verdienten und dann — allerdings waren es wenige Auserwählte — unsere ganz Großen wurden.

Sie spielten auf richtigen Bühnen, mit richtigen, zum Stücke passenden Kulissen. Ich sah so manchen meiner später großgewordenen Kameraden an solch einem Wandertheater.

In Holleschau, einer kleinen Stadt in Mähren, erlebte ich einen Kollegen, der einige Jahre später zu den Berühmten zählte und das Geld nur so scheffelte.

Ich sah ihn als Hüttenbesitzer, aber seine große Karriere machte er als Komiker.

Er ist tot, ich will seinen Namen nicht nennen, ich weiß nicht, ob es ihm recht wäre.

Theaterdirektor sein, war keine beneidenswerte Stellung, und ich wunderte mich immer, wieso sich so viele Bewerber meldeten, wenn ein Theater ausgeschrieben wurde.

Was mag da wohl Verlockendes gewesen sein, um so mehr, wenn das Theater auf eigenes Risiko geführt werden mußte? —

So ein Theaterdirektor hat doch nur Unannehmlichkeiten. —

Ärger, Vorwürfe, Verdruß, Sorgen um den Geschäftsgang, Zerzaustwerden von den Zeitungen und Undank sind sein Los.

Mein Direktor in Breslau hatte über seinem Schreibtisch eine Tafel, auf der in großen Lettern zu lesen stand: «Wie man's macht, ist's falsch.»

Unter den Theaterdirektoren, deren ich unzählige kennenlernte, sang ich doch in allen großen und kleinen Städten als Gast, gab es herrliche Originale.

Jeder hatte irgendeine Eigenheit, ein Steckenpferd, eine schwache Stelle, die von seinen Mitgliederhorden in reizend schamloser Weise ausgenützt oder kopiert wurde.

Ein jetziger Burgschauspieler, der seinerzeit in Graz engagiert war, brachte seinen Direktor auf die Bühne und kopierte ihn bis in die kleinsten Eigenheiten derart, daß sich die Leute vor Lachen bogen.

Der Direktor selbst hatte Sinn für Humor und sah sich das Stück jedesmal an, meinte aber, es wäre unmöglich, daß er das sei.

Da war in altersgrauer, also lange vor meiner Zeit ein sehr beliebter Bänkelsänger, namens Fürst, der alle Wiener Lieder auf der sogenannten Pawlatschen aus der Taufe hob, großen Zulauf hatte und viel Geld verdiente.

Seine größte Sehnsucht war, ein wirkliches Theater zu besitzen und als Direktor Regie zu führen.

Durch die Protektion eines Mitgliedes des Kaiserhauses bekam er die Erlaubnis, im Wurstelprater in Wien ein kleines Theater zu bauen.

Es war ganz aus Holz und nannte sich stolz — Fürsttheater.

Die Stücke, die da gespielt wurden, waren auf den Geschmack des Vorstadtpublikums zugeschnitten.

Kaiser Joseph II., der Volkskaiser genannt, war meist der Held dieser Vorstadtstücke.

«Kaiser Joseph und die Schusterstochter» nannte sich so ein Stück.

Da gab es eine Schustersfamilie mit zehn Kindern, denen vor Hunger der Magen so krachte, daß man es bis in die letzte Parkettreihe hören konnte.

Der alte Schuster saß auf seinem Schusterschemel, die Mutter, hohlwangig und klapperig, schlurfte hüstelnd umher, und die Kinder schrien nach Brot.

Konzentriertes Elend.

Da erscheint in der Türe ein Mann — Direktor Fürst — in einen schwarzen Mantel gehüllt und spricht mit sonorer Stimme:

«Ös habts nix zan essen? —

Ös seids arme Leute? —

Ös habts zehn Kinda; —

Ös habts an Hunga? —»

Alle diese Fragen werden mit ja beantwortet.

Die Mutter hustet besonders stark.

Da frägt der schwarze Mann: «Sö huastn?»

Zum Vater gewendet: «Sö san a Schuasta? — Huastens a? —»

«Nein, nur die Muatta huast! —»

Nach diesem Dialog verteilt er Brot und streut allen Goldstücke in den Schoß.

Die ganze Schustersfamilie fällt dem Fremden zu Füßen und stammelt glückstrahlend: «O edler Wohltäter, sage uns, wer du bist, damit wir dir danken können!»

Da deklamiert der Schwarze: «Forschet nicht, wer ich bin, ihr werdet es nie erfahren, denn ich bin der Kaiser Joseph! —»

Damit schlägt er seinen Mantel auseinander und steht da, mit Orden bedeckt, in einer herrlichen Generalsuniform.

Alle schreien auf: «Jessas, unser Kaiser!» —

Unter den Klängen der Volkshymne fällt der Vorhang.

Auch seine Regieführung war ganz eigenartig.

Gravitätisch saß er vorne beim Souffleurkasten in seinem Regiestuhl und gab seine unkomplizierten Anweisungen.

«Sö kommen von der linken Seiten und gehn auf der rechten Seiten weg.»

Alles andere war für ihn uninteressant.

Eines Tages fragte die Soubrette: «Bitt schön, Herr Direktor, von welcher Seiten tret ich denn auf? —»

Ohne mit der Wimper zu zucken, entschied er: «Sö treten von der linken Seiten auf.»

«Aber, ich bitt schön, Herr Direktor, da treff ich doch den Artur, der mich ja nicht sehen darf?»

«Nachher kommens von der rechten Seiten!»

«Bitt schön, Herr Direktor, da ist ja keine Tür?»

«Also dann» — — jetzt kam eine Einladung zu einer intimen Goethefeier.

Das war Fürst als Regisseur.

Ebenfalls ein herrliches Original, ganz alter Schule, war Direktor Stanislaus Lesser in Olmütz.

Er führte ein sehr strenges Regiment und ohrfeigte seine Schauspieler.

Trotz seiner mittelalterlichen Schrullen wurde er von seinen Mitgliedern geliebt, und alle gingen für ihn durchs Feuer, weil er ihnen zugleich ein guter Vater war.

Das Personal bestand meist aus ganz jungen Leuten, die er sich überall zusammensuchte, die er gut führte und die sich bei ihm künstlerisch ausgezeichnet entwickelten.

Wer aus der Schule Direktor Lessers hervorgegangen war, bekam immer ein gutes Engagement und stellte überall seinen Mann.

Das Aufspüren von Talenten war die seltene Begabung dieser alten Theaterdirektoren.

Eine der köstlichsten Gestalten war schon der Generalintendant, Professor Ernst Ritter von Possart.

Von dem waren zahllose Schnurren und Anekdoten im Umlauf, die teils auf Wahrheit, teils auf harmlos boshafter Erfindung aufgebaut waren.

Seine hochtrabende Art zu reden reizte die Kameraden zum Kopieren, was fast jeder im Münchner Künstlerensemble tat.

Dies grassierte so, daß einfach nur noch im Tonfalle Possarts geredet wurde.

Er besaß alle Titel und Orden, alle Auszeichnungen und Ehrungen, die einem Sterblichen zuteil werden konnten, war überall, wohin man nur schaute, Ehrenmitglied, Präsident und Vorsitzender bei ungezählten Institutionen, wurde geadelt, und sogar eine Straße hat man nach ihm benannt.

Jedenfalls war er ein bedeutender Mensch, denn von nichts ist nichts.

Seine kleine Schwäche, daß er stolz auf das Errungene und etwas eitel war, tut dem allen keinen Abbruch, und es liegt mir fern, mich über diesen überragenden Mann irgendwie lustig machen zu wollen.

Verhohnepipelt und durch den Kakao gezogen wird jeder Direktor von seinen Mitgliedern.

Das war immer so, und ich glaube, das wird wohl auch immer so bleiben, namentlich, wenn sich solche Angriffsflächen darbieten wie bei Possart.

Vieles wurde ihm angedichtet, aber vieles ist wahr, und manches habe ich selbst erlebt.

Ein junger Schauspieler, der bei Possart seine Aufwartung machte, fragte ihn verlegen: «Verzeihen Sie, ich weiß gar nicht, wie ich Sie, verehrter Chef, titulieren darf?»

Da sagte Possart: «Ach mein Liebster, Bester, nennen Sie mich nur einfach und schlicht: Herr Generalintendant, Professor, Ernst Ritter von Possart — ich gebe nichts auf Titulaturen —»

Als das Prinzregententheater unter seiner Leitung eröffnet wurde, lud man mich ein, den Walter Stolzing, Lohengrin und Tannhäuser zu singen.

In einem Briefe wurde ich aufmerksam gemacht, daß es absolut nicht anginge, meine eigenen Kostüme zu tragen, und wenn sie noch so prächtig wären, um die Stileinheit nicht zu gefährden.

Ich möge umgehend meine Körpermaße für den Kostümschneider einsenden. Ich tat es. Nach einigen Tagen bekam ich ein Telegramm: Mammutmaße nicht vorbereitet, bringet eigene Kostüme mit.

Eines Tages stürzte ein Schauspieler zu Possart und machte ihm im Tone höchster Aufregung Vorwürfe: «Aber Herr Generalintendant, Sie haben mir doch damals, als ich Ihnen durch mein Einspringen für den erkrankten Kollegen die Vorstellung rettete, fest versprochen, daß ich die Rolle in dem neuen Stück bekomme, und nun höre ich, daß sie ein anderer spielt!»

«Da habe ich eben gelogen, mein Liebster», war die lakonische Antwort.

Nach dem ersten Akt der Generalprobe im Prinzregententheater saßen wir Kameraden im Konversationszimmer beisammen und warteten den Umbau auf der Bühne ab.

Da trat Possart ein. —

Alles erhob sich respektvoll.

Er hatte ein Wurstbrot in der Hand und meinte leutselig: «Ja, ja, meine Liebsten, auch Generalintendanten müssen frühstücken.»

Nachdem wir das ehrfurchtsvoll zur Kenntnis genommen hatten, setzte er sich zu uns und begann von der großen Sängerin Milka Ternina zu schwärmen.

«Diese Ternina ist eine herrliche Frau, eine wundervolle Künstlerin, eine Gottgesandte — wie sie geht, wie sie schwebt, ach und wie sie singt — ein begnadetes Weib!

Wir müssen uns alle glücklich schätzen, Zeitgenossen der Ternina sein zu dürfen!»

In diesem Augenblick öffnete sich die Türe und der Theaterdiener Strehle meldete: «Herr Generalintendant, soeben hat Frau Ternina für heute den Lohengrin abgesagt.» —

In demselben Tonfall sagte Possart: «Diese talentlose Kanaille bringt mich noch ins Grab!»

Possart hatte auch noch die Schwäche, alle nasenlang Jubiläen zu feiern.

Die Gründe zu diesen Jubiläen waren sehr mannigfaltig.

Einmal hatte er zum fünfhundertsten Male den Franz Moor gespielt, oder es waren gerade fünfzig Jahre her, daß er von seinem in Gott ruhenden Vater zum erstenmal ins Theater mitgenommen wurde. Oder es geschah etwas vor 25 — 30 — oder 50 Jahren, das gefeiert werden mußte.

Zu diesem Behufe wurde die Jubiläumsfeier am Vormittag erschöpfend probiert.

Ein erhöhter Thron, zu dem sechs bis acht Stufen führten, wurde aufgebaut, mit Teppichen belegt und von einem Lorbeerhain umgeben.

Die Regisseure nahmen den Jubilar bei je einem Handerl, führten ihn die Stufen herauf an den Thron, setzten ihn auf diesen, und da wurde er angestrudelt.

Es folgten Ansprachen aller Angestelltengruppen, jeder sagte

Fortsetzung folgt

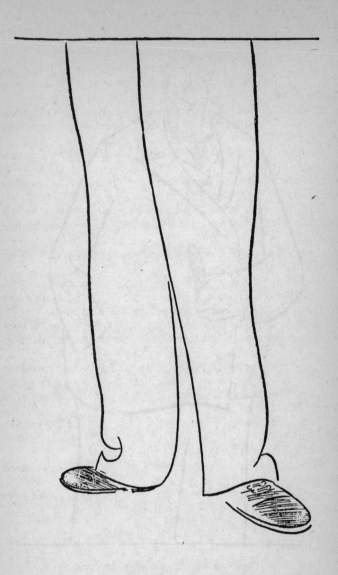

«Mammutmaße nicht vorbereitet, bringet eigene Kostüme mit»

etwas Belangloses, legte einen Kranz am Throne nieder, und dann kam die nächste Gruppe.

Possart wurde aber von einem andern, ebenso berühmten, großen Schauspieler und Intendanten, dessen erbitterter Konkurrent er war, im Jubilieren noch übertroffen.

Vormittag die Probe wie bei Possart.

Am Abend wurde alles so gemacht, wie es festgelegt war, die Regisseure führten den Jubilar an den Händen die Stufen zum Throne hinan.

Er aber hält plötzlich an der vierten Stufe inne und deklamiert mit vollem Organ: «Nein — meine lieben Kameraden — nicht dort auf diesem Thron — nein, unter euch ist mein Platz!»

Der hatte sich den Thron bauen lassen, um ihn am Abend zu verschmähen.

Die beiden, in ganz Deutschland populären Rivalen, kannten einander nicht persönlich.

Da fügte es der Zufall, daß sie auf einer Gastspielreise im selben Abteil zusammentrafen und sich notgedrungen vorstellen mußten.

Nach Nennung der Namen fragte Possart herablassend: «Sind Sie auch beim Theater?»

Der andere ist bei der nächsten Station ausgestiegen.

Diese Großen der alten Schule redeten im Privatleben ebenso bombastisch, wie sie in ihren klassischen Rollen sprachen.

Als ich ganz jung nach Wien an die Hofoper kam, vom Nimbus all der großen Namen umnebelt, glaubte ich immer, sie scherzten und kopierten sich.

Aber sie waren so und wußten es gar nicht, daß sie irgendwie unnatürlich wirken könnten.

Ein ehemals sehr berühmter Schauspieler begrüßt seine ebenso berühmte Kollegin auf der Probe:

«Heil dir, Hermine — sei mir gegrüßt, hat Morpheus sich aus deinem Arm gelöst? —»

«Dank, Eduard — Dank! —»

Mit tränenumflorter Stimme haucht sie: «Eduard — Rimbeaud ist tot!»

«Was — wie — hör' ich recht? Ist es die Wahrheit — ist's ein Traum? — Hermine, sprich — Rimbeaud — tot? —»

«Ja, Eduard — tot! — Total tot!»

«Mein Gott, dieser gute, alte Rimbeaud — tot? — Unfaßbar, Hermine, unfaßbar! —»

Dabei schluchzt er, daß der ganze Körper wackelt.

Plötzlich fragt er ganz normal: «Wer war eigentlich der Mann? —»

Aber ich wollte ja von den Direktoren reden, jetzt bin ich mitten unter die Schauspieler geraten.

Die Direktoren haben es, wie ich schon sagte, nicht leicht.

Sie haben ein Völkchen zu beherrschen, das, geben wir der Wahrheit Gerechtigkeit, sagen wir, ein bißchen — eigenartig ist. —

Ich bin überzeugt, daß auch ich irgendeinen Klamsch habe, der mich aus der Reihe der ganz Normalen scheidet, nur weiß ich es nicht.

Denn es ist nicht jedermanns Sache, zu sagen: «Herr Slezak, Sie sind verrückt!»

Schon dieses Heer von Eigenartigen einmal im Zaume zu halten, erfordert eine große Autorität, um alle diese entgegengesetzten Wünsche und Forderungen nach Rollen, Vorschuß, Urlaub und was es da noch alles gibt, in für das Theater erträgliche Bahnen zu lenken, ohne daß schwere Gewitter die Arbeit stören.

Dazu gehört hohe diplomatische Begabung.

Der Direktor muß immer lavieren, auf seinem Kothurn bleiben, damit ihm niemand zu nahe kommt, und sich nur in dringenden Fällen sprechen lassen.

Hatte er einmal den Besuch eines seiner Künstler, besonders Künstlerinnen, die die Audienz ins Uferlose ausdehnten und nicht zum Weiterbringen waren, gab es ein sehr probates Mittel, sie loszuwerden.

Ich hatte in Prag einen befreundeten Bankdirektor, dessen Zeit sehr wertvoll war.

Nun kamen einflußreiche Klienten, die den Besuch bei ihm benutzten, um ihre Zeit mit allem möglichen Klatsch totzuschlagen.

Ich fragte ihn, wie er denn diese Leute los wird, ohne daß sie sich beleidigt fühlen.

Da zeigte er mir unter seinem Schreibtisch einen Knopf.

«Siehst du, wenn ich mit dem Fuß auf diesen Knopf drücke, was man nicht bemerken kann, tritt der Diener herein und meldet: Herr Direktor werden in der Sitzung erwartet, die Herren sind schon versammelt.»

Er machte gleich die Probe aufs Exempel, berührte mit dem Fuße den Knopf und richtig meldete der Diener programmgemäß, daß die Herren in der Sitzung schon eine Viertelstunde warten.

Als ich eines Tages mit meinem Direktor in der Wiener Hofoper eine Besprechung hatte, klagte er beim Verabschieden: «Ach, jetzt kommt die Koloratursängerin N. N., die wird mir doch wieder endlos dasitzen und mich mit allem Möglichen anöden.»

Da gab ich ihm den Rat, sich doch dasselbe an seinem Schreibtisch anbringen zu lassen, wie ich es in Prag bei meinem Freunde gesehen hatte.

Er ließ sich alles von mir erklären, schmunzelte dabei, und im Augenblick trat der Diener herein und meldete: «Herr Direktor werden von Seiner Durchlaucht dem Herrn Obersthofmeister erwartet.»

Also sagte ich ihm nichts Neues.

Dann hat jeder Direktor einen Helfer, den Theatersekretär.

Der Theatersekretär ist der Pufferstaat, der Prellbock zwischen dem Direktor und seinen Mitgliedern.

Wenn dem Schauspieler oder Sänger irgendeine Unannehmlichkeit von seinem Chef bereitet wurde, so wußte dieser gewöhnlich von nichts und schob alles auf seinen Sekretär.

Theatersekretäre werden selten siebzig Jahre alt, weil sie in der Regel schon mit fünfundvierzig Jahren zerspringen, vor Galle und den steten Aufregungen.

Wenn ein Künstler seinen Direktor töten will, so ist vor allem der Theatersekretär da, über dessen Leiche er zuerst zu schreiten hat und dessen diplomatischer Begabung es obliegt, ob der Direktor weiterleben soll oder nicht.

In einem Ensemble von so vielen Künstlern, in dem wenigstens fünfundneunzig Prozent halb und fünf Prozent ein Achtel wahnsinnig sind, ist es keine Kleinigkeit, es allen recht zu machen.

Ununterbrochene Verbitterungen und Explosionen sind an der Tagesordnung.

Alle diese vulkanischen Ausbrüche treffen zuerst den Sekretär.

Der hat zu schlichten, zu beruhigen und die herabströmende Lava so zu leiten, daß sie, an der Direktionskanzlei vorbei, in einen ungefährlichen Kanal fließt.

Der Sekretär muß ein guter Menschenkenner sein, hauptsächlich der Menschen, die an seinem Theater engagiert sind.

Sie sind ja, im Grunde genommen, alle so harmlos und leicht zu behandeln wie Kinder.

Wenn man sie zu nehmen versteht, fressen sie aus der Hand und tun alles, was man von ihnen verlangt.

Wenn zum Beispiel der Direktor dem Sekretär aufträgt, zu einem Sänger auf die Bühne zu gehen und ihm auszurichten, er habe gesungen wie ein Schwein und gespielt wie ein unbegabter Konservatorist, so wird der feinnervige Sekretär, wie wir ihn an der Oper in Wien hatten, die Sache folgendermaßen machen:

«Servus, Fritz, der Chef läßt dir sagen, er schickt dir seine Grüße, er wollte selber kommen, mußte aber weg, du hast fabelhaft gesungen, es war herrlich!

Die Töne waren so dick wie zehnzöllige Wasserrohre, und namentlich die eine Stelle — was war's doch nur — paß auf, also diese

Stelle — ja, Herrgott — na, ist ja egal, also diese Stelle hat ihm besonders gut gefallen.

Servus, mein Junge, mach es weiter so gut — Hals- und Beinbruch — ich muß heim, mir wird sonst mein Goulasch ranzig!»

Würde er den Befehl des Chefs ausgeführt haben, so hätte er damit einen Aufschrei der Empörung verursacht, der auf das Weitergehen der Vorstellung von üblen Folgen hätte sein können.

So sang der eben Belobte mit großer Freude und dem Bewußtsein, daß er großartig ist, die Vorstellung zu Ende.

Am nächsten Morgen hatte der Direktor in dem Wirrsal seiner gigantischen Sorgen darauf vergessen und alles war in Butter.

Ein Kapitel für sich bildeten die Regisseure, deren ich so viele kennenlernen durfte.

Welche Typen habe ich in meinem Lebensbuche verzeichnet, vom altehrwürdigen Schlage, der sich nur darauf beschränkte, die primitivsten Erläuterungen zu geben, bis zu den ganz Modernen, die große Regiearbeit leisteten und dem Künstler wahre Berater und Helfer waren.

Freilich, früher war das viel leichter.

Bei den alten Opern wurden keine allzugroßen Anforderungen an den Regisseur gestellt, alles war überliefert und der Begabung des Sängers überlassen.

Als ganz junger Anfänger in Brünn hatte ich einen lieben, alten Regisseur, der viele Jahre als Baßbuffo wirkte und nebenbei Regie führte.

Er hatte beim Singen, und naturgemäß auch beim Reden, einen sehr starken Anklang von böhmischem Dialekt.

Mit einem Wort, er böhmakelte.

Er sang zum Beispiel als Heerrufer in Lohengrin: «Härt Grafen, Fraie, Ädle von Brabant, Känig Heindrich kam zur Stadt etz.» Seine Prosa in den Spielopern war auch demgemäß.

Als ich Brünn verlassen sollte, um nach Berlin an die Königliche Oper zu gehen, debütierte ein junger Tenor aus Prag auf Anstellung.

Er sang den Lohengrin als Antrittsrolle.

Wir saßen in unserem Stammlokal, und als der Regisseur nach der Vorstellung kam, wurde er um seine Meinung über den Debütanten gefragt.

«Also die Stimme is ja schän, er schaut gut aus, hat ein ahngenähmes Aißeres, hibsche Figur, nur der Dialekt ist ein wänig stärend — er böhmakelt.»

Als Regisseur war er besonders für junge Anfänger von hohem Wert.

Wir hatten Stradella, ich sang zum ersten Male die Titelrolle.

Bei der Orchesterprobe kam ich in einer Gondel angefahren, hatte eine Mandoline um den Hals, war begleitet von einigen Chorherren, die mit mir den Zweck verfolgten, meiner Liebsten ein Ständchen zu bringen.

Vor meinem Gesangseinsatz ist ein langes Pizzikatovorspiel, das ich zum Spielen — damals zu besonders scharfem Spielen — benutzte.

Ich raste nach vorne, sah zum Balkon der Geliebten hinauf, bedauerte mimisch, daß die Teure noch nicht da ist, stürzte nach hinten zu den andern Venezianern und teilte ihnen mit großen, barocken Armbewegungen das Nichtgesehene mit, was diese ihrerseits auch bedauerten, mir aber — auch mimisch — versicherten, daß sie bestimmt kommen wird.

Es sei eine Frage von Sekunden.

Planlos an den Strängen der Mandoline zupfend, tänzelte ich wieder nach vorne und füllte so das endlose Vorspiel aus.

Auf einmal erscholl die Stimme des Regisseurs aus dem finstern Parkett: «Aber Jesusmarja — Slezatschku, was machens denn da für Sachen, sind Sie wahnsinnig? —

Das sind ja die Laite nicht gewähnt! —

Stellens Ihnen hin und wartens, bis der Einsatz kommt, man wird ja ganz nerväs!»

Zum Glück hatte ich derart viel Überschuß an Spielastik in mir, daß die größten Dämpfer meinem Darstellungsfanatismus keinen Abbruch tun konnten.

Viele Neueinstudierungen, Wiederbelebungen aller möglichen alten Opernwerke sind an mir vorbeigezogen.

Da bot sich den Regisseuren ein besonders großes Feld zum Originellsein. —

Alles, was früher links war, wurde auf die rechte Seite gestellt und umgekehrt.

Das wurde dreimal probiert, und die Neueinstudierung war beendet.

Am Abend stießen die Künstler, die das Neue nicht so schnell erfaßten und das Alte noch nicht vergessen konnten, wie bei den Doppelreihen die Rekruten, zusammen, traten sich auf die Füße, verstellten sich den Weg, und in der Überzeugung, das jeder das Richtige mache, nämlich das Neueinstudierte, wurde gestritten.

In der Kritik hieß es dann mit Recht, daß die Neueinstudierung sehr an die alte Fassung erinnerte, nur habe es nicht so reibungslos gewirkt.

Es gab verschiedene Moden in der Regie.

Ich erinnere mich an die Zeit, wo es ein Verbrechen war, hinaus ins Publikum zu singen, und man sich förmlich umdrehen mußte, um nur ja natürlich zu wirken, und wo man nach hinten sang, um in den Geruch eines Tragöden zu kommen.

Tat man das nicht, wurde man als Kulissenreißer gebrandmarkt, und es hieß: dieser blöde Tenor knallt den Leuten seine Töne ins Gesicht und kann nicht spielen.

Das dauerte nicht lange, denn der Sänger ist dazu da, daß man ihn hört, was aber nicht der Fall ist, wenn er nach hinten singt.

Jetzt singt man nur nach hinten, wenn man seine Rolle nicht kann, in der Hoffnung, daß das Publikum es nicht merkt.

Dann kam die Stiegenperiode.

Eine permanente Stiege von fünfzehn bis zwanzig Stufen — rechts und links ein phantastisch expressionistisches Gekleckse, ein stilisierter Baum, bestehend aus einigen ineinandergesteckten Stangen und fertig.

In Berlin sang ich vor vielen Jahren in der Volksoper den Lohengrin.

Ich hatte mir vorher die Dekoration nicht angesehen, und als ich als Gralsritter, mit allem hehren Rüstzeug angetan, auf meinen Platz ging, um den Schwan zu besteigen, fand ich eine stilisierte Papiergans vor, in der Größe einer unausgewachsenen Ente, dazu einen Nachen in Zigarrenkistelformat, dürftig und wackelig, nicht einmal von einem kleinen Knaben gefahrlos zu benutzen.

Entsetzen malte sich auf meinen, von einem blonden Vollbart umrahmten Zügen.

Ich zische den Theatermeister herbei und frage ihn, wie ich das machen soll, als Märchenritter auf dieser Pappschachtel zu stehen und anzukommen, ohne die Balance zu verlieren.

Wie ich mich benehmen soll, wenn ich in einem Kegel strahlenden Bogenlichtes mit dem armseligen Fahrzeug zusammenbreche und nicht ohne Hilfe von sechzehn ausgewachsenen Brabantern aufstehen kann.

Ich war gebrochen.

Der Theatermeister beruhigte mich folgendermaßen:

«Ach Mensch, sein Se doch nicht so aufjerecht, immer mit die Ruhe, der Schwan wird rausjezogen, die Mannen stellen sich vor das Ufer, Sie loofen daneben her und fertig ist die Laube.»

Zu Für und Wider war keine Zeit, meine Musik kam, ich bekam einen Stups und lief neben dem Nachen her, der für mein Empfinden zu schnell gezogen wurde, da er sichtlich früher an Ort und Stelle war als ich.

Nun kam die nächste Überraschung.

Ich suchte die gewohnte Szene.

Nach Absingen des Schwanenliedes sah ich mich auf einer hohen

Stiege, die sich über die ganze Breite der Bühne bis nach vorne zum Souffleurkasten erstreckte.

Die Stufen, für Kinderfüße berechnet, waren so schmal, daß ich nur seitwärts stehen konnte.

Ich bin in meinem Künstlerwallen schon vielen überraschenden Situationen gegenübergestanden, aber hier war ich ratlos.

Ich blieb einfach mit zwei linken Füßen stehen, und bei dem Kampf mit Telramund war es mir wichtiger, mir nicht die Füße zu brechen, als den Gegner zu besiegen.

Als der Akt zu Ende war, atmete ich befreit auf und ging kochend in meine Garderobe, wo ich dem Regisseur unumwunden meine Meinung sagte.

Da hielt mir dieser eine wohlgesetzte Rede, wie das alles wirke, wenn sich die Szene mit den Klängen der herrlichen Musik vermählt und der Zuschauer lediglich auf die Klangwirkung angewiesen ist, ohne durch theatralischen Flitter und Firlefanz abgelenkt zu werden.

Wie das Wort sich zum Siege durchringt, ohne erst die Aufmerksamkeit des Zuhörers, dessen Blicke sonst an den Dekorationen kleben, auf sich konzentrieren zu müssen. «... und überhaupt, Sie Ochse, was meinen Sie — wir haben doch keen Geld, von was sollen wir denn die Dekorationen koofen?»

Dieser Abend wird mir in steter Erinnerung bleiben.

Das muß mir passieren, der ich jeder Stufe sorgsam aus dem

Wege gehe und mit dem Lift ins Hochparterre fahre, wenn einer da ist.

Ich mußte den ganzen Abend in meiner silbernen Rüstung, singend, Stiegen auf, Stiegen ab, mit seitwärtsstehenden Füßen und heraushängender Zunge, herumschießen.

Schrecklich! —

In dieser Zeit tobten sich die jungen Regisseure in allen möglichen Originalitäten aus, einer suchte den andern zu übertrumpfen.

In Frankfurt am Main wurde einige Zeit der Lohengrin sogar ohne Schwan aufgeführt, was durch eine Hochflut irrsinnig gescheiter, philosophisch ausgetüftelter Anschauungen begründet wurde.

Der Lohengrin durfte nicht glänzen, bekam eine stumpfsilberne Bindfadenrüstung und sah einem ritterlichen Kanalräumer nicht unähnlich.

Man versuchte förmlich mit Gewalt alles zu verhäßlichen und des nun einmal notwendigen Glanzes zu entkleiden.

Auch das dauerte nicht lange und wurde von der Empörung des Publikums hinweggefegt.

Dann kam die sogenannte finstere Zeit.

Kein Licht auf der Bühne, alles dunkel, schattenhaft.

Die Leute saßen drinnen und mopsten sich, weil sie nichts sahen.

Es wurde geschimpft, dagegen gewettert — umsonst.

Erst als das Publikum wegblieb und die Kassenrapporte bedenklich zu werden begannen, fanden sich weniger Moderne, die das abschafften und alles wieder normal wurde.

Die Regisseure mußten sich fügen und nannten das Publikum eine verkitschte Kunstbanausenhorde.

Wir Normalen freuten uns.

So löste eine Epoche die andere ab, und wenn man so über vierzig Jahre in seinem Lebensbuche zurückblättert, lernt man begreifen, daß sich im Leben alles ändert und über kurz oder lang der Weg zum Gesunden immer wieder zurückgefunden wird.

Nun der Kapellmeister.

Für uns Sänger ist das der wichtigste Mann, mit dem man sich gut stellen muß.

Früher war der Kapellmeister nur den Kleinen gegenüber allmächtig.

Er mußte sich aber den Launen und Unarten der beliebten Sänger und Sängerinnen unterordnen und sich Verzerrungen der Tempi, um eines stumpfsinnigen Effektes willen, gefallen lassen.

Das hat sich aber, gottlob, gründlich geändert, seit man größere Ansprüche an die Künstlerschaft eines Sängers stellt.

Es kamen Autoritäten, die einen obstinaten Star durch Appellieren an sein künstlerisches Gewissen, seinen Ehrgeiz und, wenn es nicht anders möglich war, durch Lächerlichmachen vor seinen Kameraden auf die rechte Bahn brachten.

Mein erster Kapellmeister in Brünn, Paul Thieme, war ein Preuße.

Der duldete keine Schlamperei, jeder mußte seine Rollen genau studieren und sich seiner Auffassung und straffen Stabführung bedingungslos beugen.

Das war für mich, als jungen Anfänger, sehr wichtig.

Ich lernte Disziplin und Pflichtgefühl, Dinge, die in den früheren Jahren an den Provinzbühnen, namentlich in Österreich, nicht allzusehr zu Hause waren.

Dann kamen die großen Dirigenten, die durch ihre Genialität tonangebend und gefeierte Stars wurden.

Ich habe unter allen diesen großen Meistern gesungen und kann beurteilen, welchen Segen sie für die Musik bedeuteten.

Sie verstanden es, den Wert eines Werkes restlos auszuschöpfen, so, daß uns bei den Proben ganze Kandelaber von Licht aufgingen und wir begeistert Gefolgschaft leisteten.

Zur Entlastung des Kapellmeisters sind die Korrepetitoren da, die die Kuliarbeit des Einstudierens der Rollen zu besorgen haben.

Die Armen sitzen den ganzen Tag in ihrem Klavierzimmer und hämmern den musikalisch Minderbemittelten Takt für Takt ein, und wenn sie nur ein wenig Temperament haben, so leiden sie und müssen von Fall zu Fall in einer Nervenheilanstalt Heilung suchen.

Nun zu den Schauspielern.

Diese blickten bei jeder Gelegenheit auf uns Sänger mitleidig herab.

Sie sahen in uns nur einen von der Natur bevorzugten Kehlkopf.

Außerdem ärgerten sie sich, weil wir eine höhere Gage hatten.

Es war immer so etwas wie ein harmloser Krieg zwischen uns.

Dieser Krieg äußerte sich in unschuldigen Neckereien, bei denen besonders wir Tenoristen scharf aufs Korn genommen wurden.

Wie ich bereits zart andeutete, nahm man uns geistig nicht für voll, behauptete, daß wir nur singen könnten, aber im übrigen in die Würste gehörten.

Gehirnmäßig stellte man uns auf die gleiche Stufe mit primitiven Buschnegern.

Diese Wortgeplänkel spielten sich meist in der Künstlerloge ab, die für Opern- und Schauspielpersonal gemeinsam vorhanden war.

Da hieß es schlagfertig sein und jeden Hieb mit wuchtigem Gegenhieb zurückgeben.

Unter Männern kam es nie zu ernsthaften Zwistigkeiten.

Anders war es bei den Damen.

Da war immer eine auf die andere bös, weil man ihr hinterbrachte, daß sie dem gesagt hat, daß der gesagt hat, weil jener sagte.

Oft genügte ein neuer, origineller Federbusch auf dem Hut, um Groll gegen eine Kollegin zu schaffen.

Bissigkeiten, unter der Maske aufrichtiger Freundschaft, flogen nur so hin und her, und ich hatte meine Freude daran, das zu beobachten, immer noch ein klein wenig zu schüren und mich an der Wirkung zu ergötzen.

Wie unschön. —

Besonders bei Rollenbesetzungen war immer die Hölle los.

Es gab da Triumph und Niederlage.

Der Direktor wurde umschmeichelt, bei Erfolg war er himmlisch, bei Ablehnung ein Schurke, ein Bandit, ein Wegelagerer.

Herrlich war das.

Dann versöhnten sich die Damen wieder, luden einander zum Tee ein mit kaltem Aufschnitt und, wie sie sagten, selbstgebackenem Kuchen und Sandwichs, und alles war wieder gut.

Natürlich boten diese versöhnenden Jausenannäherungen absolut keine Gewähr dafür, daß bei dem geringsten Anlaß das Kriegsbeil wieder ausgegraben wurde und der Kampf von neuem begann.

Bei meinen Gastspielen lernte ich diesen Zustand besonders genau kennen, weil mir Seite und Gegenseite ihren Hader anvertrauten.

Da setzte ich meinen Ehrgeiz darein, beide Parteien so zu versöhnen, daß sie wieder dicke Freundinnen wurden.

Ein lobenswerter Zug.

Das war aber, wie gesagt, alles früher, in der Vergangenheit.

Das ist jetzt ganz anders.

Der Souffleur, beim Schauspiel meist eine Souffleuse, ist der Bedauernswerteste des ganzen Ensembles, weil er die üble Laune von allen Künstlern auszufressen hat.

Konnte ein Schauspieler seine Rolle nicht und schwamm, wie es im Theaterrotwelsch heißt, schrie er die Souffleuse an: «Warum schlagen Sie nicht an? — Sind Sie von Sinnen? — Wozu sitzen Sie in Ihrem Kasten? —»

Kann er seine Rolle zufällig und die Souffleuse schlägt seinen Satz an, zischt der Mime großartig: «Lassen Sie das, Sie sehen, ich brauche Sie nicht, schweigen Sie! —»

Ist sie zu laut, brüllt der Regisseur: «Leiser!»

Ist sie zu leise, brüllt der Seelenmaler: «Was ist? Sind Sie taubstumm? —»

Und so geht es fort.

Allerdings, wenn eine Darstellerin die Souffleuse braucht, wird ihr schön getan, sie bekommt Bonbons, einen warmen Schal und gute Worte.

«Nicht wahr, du paßt bei der Stelle auf, da bin ich ein bissel sterblich.»

Zum Glück bekommt so ein Souffleur mit der Zeit ein Fell wie ein Nashorn, denkt sich seinen Teil und läßt unberührt all die Unflatfluten an sich herabrinnen.

Bei uns in der Oper ist der Souffleur nicht von so dringender Bedeutung wie beim Schauspiel, weil schon beim Studium der Musik die Worte, die dazugehören, in Fleisch und Blut übergehen und man sich in besonderer Not mit Lala und Blämbäm behelfen kann.

Außerdem wechseln beim Schauspieler die Stücke sehr oft, und es kommen in kurzen Intervallen immer wieder neue Stücke, die an die Gehirnarbeit größere Anforderungen stellen, als bei uns Sängern.

In Italien ist der Souffleur ein Suggeritore.

Er gibt dem Sänger die musikalischen Einsätze, was bei uns der Kapellmeister tut.

Darum ist der Suggeritore wichtiger als der Souffleur — in Italien.

Ein ebenso bedauernswerter Funktionär ist der Inspizient.

Er hat die Aufgabe, dafür zu sorgen, daß jeder Darsteller an seinem Platze ist, das Personal vor Beginn der Vorstellung und nach den Zwischenakten aus ihren Garderoben einzuläuten und diese auf das gegebene Stichwort auf die Bühne zu bugsieren.

Ihm obliegt es, daß draußen auf der Szene keine blamablen Pausen platzgreifen und der betreffende Schauspieler nicht fünfmal seinen Satz sagen muß, bis sein Partner auftritt.

Es ist nämlich sehr unangenehm, wenn in einem ernsten Stück alles auf die Türe blickt und sagt: «Ach gottlob, da ist er ja» — und es kommt kein Mensch.

Da bleibt es oft der Geistesgegenwart des Schauspielers anheimgestellt, so eine Heiterkeit auslösende Lücke auszufüllen und zu improvisieren: «Oh, ich irrte mich, er ist es noch nicht, wo er nur bleiben mag, hoffentlich kommt er bald, er sagte doch . . .», und so lange zu reden, bis der Säumige endlich da ist.

Der Inspizient muß überall sein.

Hat er auf der linken Seite der Bühne einen Mimen herausgeschickt, muß er schnell hintenherum auf die rechte Bühnenseite rennen und dort den anderen Schmieristen auf die Szene befördern.

Darum sind die meisten Inspizienten sehr mager und müssen Schnelläuferqualitäten mitbringen.

In der großen Oper ist der Inspizient besonders geplagt und hat einen sehr verantwortungsvollen Posten.

Namentlich wenn er Triumphzüge auf die Bühne herauszusenden hat, wie zum Beispiel in der Oper Aida, wo zwei- bis dreihundert Menschen im Zaume zu halten sind, die sich vielleicht ihrer verantwortungsvollen Aufgabe, als Ägypter, Mannen, Kurfürsten oder Erzbischöfe, nicht voll bewußt sind.

Wenn ich in der Wiener Oper, am hintersten Ende dieser Riesenbühne, auf meinem ägyptischen Handwagerl als Rhadames stand und aufs Herausgezogenwerden warten mußte, machte ich so mancherlei köstliche Beobachtungen.

Bei diesen Triumphzügen waren meistens Statisten eingesetzt, weil draußen auf der Bühne der Chor zu singen hatte.

Diese Statisten wurden von Fall zu Fall aufgenommen und waren teils Studenten, die die Neugier trieb, das Leben hinter dem Vorhang kennenzulernen, teils Leute, die um des nicht allzuhohen Spielhonorars willen zu Ägyptern wurden, oder, wenn Not am Mann war, Angehörige der unterschiedlichsten Berufe.

Zwei festbesoldete, wissende Statistenführer hatten die Neulinge vor der Vorstellung abzurichten und ihnen die Pfaden zu weisen, die sie mit ihren Hellebarden, Kriegsemblemen oder was sie sonst in den Pratzen zu halten hatten, zu wandeln haben.

Der Zug rangierte sich auf der Hinterbühne und in den Korridoren.

Eine Gruppe nach der andern wurde vom Inspizienten, nach seinem Fahrplan und der Musik, auf die Zuschauer losgelassen.

Da gab es ein arges Gedränge und einen Wirrwarr, den der Inspizient, vertrauend auf die werktätige Unterstützung seiner beiden Statistenhäuptlinge, zu lösen hatte.

Selbstverständlich traten die Statisten nie auf, ohne irgendwelche lebenswichtige Ermahnungen und Belehrungen mit auf den Weg zu bekommen.

«Sie Hrdlitschka, machens kein so blödes Gesicht, bedenken Sie, daß Sie ein Ägypter sind und rennens nicht so wie das letztemal, bleibens in der Einteilung!

Wawra, halten Sie die Pappen (Schnauze), Sie haben nichts zu reden, Sie sind ein Mann aus dem Volke, der hat das Maul zu halten!

Jelinek, tretens Ihrem Vordermann nicht von hinten auf die Sandalen, sonst fliegt er aufs Gesicht und wir haben einen dreiviertelstündigen Lacher in dem traurigen Stück.»

Den vier Männern, die den großen Stier Apis trugen, wurde wärmstens empfohlen, Schritt zu halten, damit der Ochs nicht wakkelt wie ein Lampelschwaf (Lämmerschwanz).

«Gruber, ziagns Ihner Trikot herauf, aber schnell, sonst hängt es Ihnen wie eine Ziehharmonika herunter.

Das san ja kane Füaß, das sind Stoppelzieher.

Mit die Füaß schmeißens mir die ganze Komödie.

Die Hellebarden mit dem Paperl (Vogel Ibis), haltens grad, damit man weiß, was es ist.

Aufpassen, meine Herren, sonst schmeiß ich Ihnen heraus!

Auftreten! — Vorwärts!»

Das sind so ungefähr die veredelnden Ratschläge vor dem Auftreten.

Als Gewerbeschüler in Brünn zog es mich mit magischer Gewalt zum Theater.

Durch die Protektion eines Chorherren gelang es mir, als Statist aufgenommen zu werden.

Nun war das Mitwirken auf einem Theater in jeder Form von der Schule aus untersagt — strenge verboten.

Es war ein Ritterstück.

Ich stellte einen Landsknecht dar und hatte die Aufgabe, mit noch einem Landsknecht in einen Kerker zu gehen und an der Türe stehenzubleiben.

Mit uns betrat ein Schauspieler den Kerker, der dem eingesperrten Helden, der dort schmachtete, mitzuteilen hatte, daß er nicht begnadigt wurde, seine Stunden gezählt seien und er sich zur Hinrichtung bereitzuhalten habe.

Als der Auftritt kam, fiel mir mit Entsetzen ein, daß mich einer meiner Professoren erkennen und ich abermals, wie damals in der Realschule, mit Pomp herausgeschmissen werden könnte.

Ich zögerte, sträubte mich, aufzutreten.

Der Inspizient, ein jeden Feingefühls entratender Herr, schrie mich an: «Also, was ist? — Lausbub, dreckiger — raus!» Er gab mir mit dem Fuße einen Stoß, daß ich durch die geöffnete Türe auf die Bühne torkelte.

Draußen, an der Türe stehend, wendete ich mein Haupt auf die dem Zuschauer abgewendete Seite, um meine Gesichtszüge dem Erkanntwerden nicht so preiszugeben.

Als ich abgegangen war, kam der freundliche Inspizient abermals auf mich zu und meinte verbindlich: «Ihnen gehören ein paar Watschen, Sie Trottel! — Sie Lümmel! — Verstanden?» —

Als ich nach Jahren in Brünn gastierte, erinnerte mich der Inspizient ganz stolz, daß er der erste war, der mich auf die Bühne geschickt hat.

Eine schwerwiegende Persönlichkeit beim Theater ist der Theaterkassier.

Er ist der wichtigste Mann im Hause.

Erstens einmal bringt er uns Künstlern die Gage, das Honorar.

Dann verkauft er die Eintrittskarten, damit er uns die Gage auszahlen kann.

Da er genau weiß, was Kasse macht, ist er auch ein großer Faktor beim Bilden des Repertoirs, das Gewissen eines allzusehr mit Idealen behafteten Direktors.

Wenn der Kassier gut aufgelegt ist, weiß man, daß die Einnahmen gut sind.

Die Jahre 1931 und besonders 1932 waren eine sehr böse Zeit für die Theater.

Die Menschen hatten so viele Sorgen und Angst vor der Zukunft, alles stand still, die Fabriken tot, die Geschäfte leer.

Das wirkte sich natürlich ungeheuer auf die Theater aus, und die leeren Sesselreihen gähnten uns um die Wette entgegen.

Man erzählte sich, daß eines Tages der Theaterkassier in seiner Kasse tot aufgefunden wurde.

Nach ärztlichem Gutachten soll der Tod bereits vor vier Tagen eingetreten sein.

Aber das glaube ich nicht, das ist sicher wieder eine von den schamlosen Übertreibungen, die beim Theater so oft grassieren.

Damit wäre über uns Theaterleute so ziemlich alles gesagt.

Der liebe Leser wird sich denken: aber das Theater ist ja ein Irrenhaus?

Ja, das ist es, aber ein entzückendes, ein liebes, und wenn ich noch einmal auf die Welt komme, gehe ich wieder zum Theater.

Die Kasse ist der beste Platz im Theater . . .

... wo nur dann ein Theater gemacht wird, wenn im Theater kein Theater gespielt wurde; dann nämlich, wenn die Monatsgagen fällig sind. An der Kasse erweist sich, was das Gold in der Kehle wert ist. Hier bringt das hohe Cis seinen hohen Zins.

Man braucht indessen nicht unbedingt Gold in der Kehle zu haben, um an hohe Zinsen zu kommen. Das zielt nicht auf manchen Schlagersänger, sondern vielmehr auf ... (siehe unten!)

CLAQUE

Ich will nicht mit historischen Belehrungen beginnen, daß die Claque schon im Altertum existierte.

Daß sich zum Beispiel der römische Kaiser Nero, der in allen möglichen Künsten dilettierte, eine Claque hielt, nur mit dem Unterschied, daß er sie nicht bezahlte, sondern die, die mit Beifall zu kargen wagten, einfach abmurksen ließ.

Solche Sachen können wir Sänger uns nicht leisten.

Ich will also die Mythologie beiseite lassen, wer weiß, ob die ganze Sache wahr ist, denn es ist schon so lange her.

Da fände sich eventuell ein Altertumsschürfer und wiese einem an Hand von Papyrusrollen nach, daß das ein öder Quatsch ist, den man da zusammengeschrieben hat, der jeder wissenschaftlichen Basis entratet.

Darum will ich, wie es sich für einen modernen Schriftsteller, der zu sein ich mir schmeichle, schickt, auf dem realen Boden der Wirklichkeit bleiben und nur so weit in meinen Erinnerungen zurückgehen, als ich selbst dafür einstehen und jeden Zweifler mit einem vernichtenden Blick zur Erde schmettern kann.

Als ich nach Wien an die Oper kam, wurde mir ein Revers zur Unterschrift vorgelegt, laut welchem ich mich verpflichten mußte, mit Ehrenwort verpflichten, weder eine Claque selbst zu halten noch durch eventuelle Bluts- oder angeheiratete Verwandte halten zu lassen.

Dieses gegebene Ehrenwort habe ich gewissenhaft gehalten, bis zu meinem Abschied, vierunddreißig Jahre lang.

Vielleicht gab es einige Kameraden, die dieses strenge Verbot auf eine nicht zu beweisende Art umgingen, wenngleich es sehr gefährlich war und zutage trat, falls nach einer Arie ein auf sechs bis acht Personen beschränkter Enthusiasmus versucht wurde.

Da wußte man gleich: aha! —

Aber wenn dies auch sehr vereinzelt geschah, so doch in einer Form, die von der späteren wesentlich abwich.

Das Motiv war damals immer nur künstlerische Begeisterung der Jugend für ein paar Stehplätze — ohne jeden merkantilen Einschlag.

Diese jungen Menschen stellten sich beispielsweise zu einer Meistersingervorstellung schon am Vormittag in den Arkaden des

Opernhauses an, warteten den ganzen Tag auf den Einlaß — stürzten dann — fünf Stufen auf einmal nehmend — im Sturmschritt auf die vierte Galerie, wo sie weitere fünf Stunden, wie Ölsardinen eingepfercht, stehen mußten. —

Die Zwischenakte wurden durchjubelt, und wie besessen schrien sie die Namen ihrer Lieblinge.

Erst als sie stockheiser waren und sich der eiserne Vorhang senkte, ging es in rasendem Tempo nach unten zum Bühnenausgang.

Dort warteten sie noch eine halbe Stunde, bis wir umgekleidet waren, ließen uns Künstler hochleben, klopften uns auf die Schulter, rissen uns begeistert die Kleider vom Leibe, brachen aus dem Wagen das Türl heraus, und bei ganz besonderen Gelegenheiten spannten sie die Pferde aus, um uns, mit Geschrei, im Wagen nach Hause zu ziehen. —

Das war zur Zeit, als es noch keine Autos gab.

Diese Romantik ist leider verlorengegangen. —

Erst dann gingen sie hochbefriedigt, mit steifen Füßen, zerschunden und abgeschlagen heim. —

Ob nun einige dabei waren, die auf irgendeinem, das Gesetz umgehenden Wege zu Freikarten kamen, um einen Kameraden besonders auszuzeichnen, ist egal.

Das Leitmotiv war in erster Linie tiefe Liebe zur Musik, zu unserem herrlichen Opernhaus und uns Sängern.

Niemals weiß ich mich zu erinnern, daß Mißfallensäußerungen oder Störungen erfolgten, weil der spontane Ovationist keine Freikarten bekommen hatte.

32

Der damalige Matador der Beifallsorgiasten war der berühmte Freudenberger.

Er hatte einen Klamsch, er war ein Plemplematiker.

Er hatte einen Fimmel, einen Piepmatz.

Immer war er in höchster Erregung, sprach nur in Superlativen und wußte alles.

Er war darüber informiert, was der eine oder andere Kollege zu Mittag gegessen, wer mit wem gestritten hatte, und auch das Thema des Streites kannte er.

Auf seinen Visitenkarten nannte er sich: K. u. K. emeritierter Choreleve des k. k. Hofoperntheaters, Musikkritiker und Dekorateur.

Im Knopfloch trug er Vogelschutzmedaillen als Ordensersatz, allerlei Bändchen und Vereinsembleme.

Uns Künstler nannte er, anderen gegenüber, immer nur beim Vornamen, und diesen pflegte er mit einem verschnörkelten Diminutiv zu versehn.

Brachte Grüße von «Annerl» (Kammersängerin Anna von Mildenberg), bemerkte wichtig betrübt, daß der «Dorerl» (Kammersänger Theodor Reichmann), wie er aus kompetenter Quelle erfuhr, sehr schlecht geschlafen hat und nach Aussagen seines Dieners Powolny sehr grauslich zu diesem war.

Teilte mit, daß der «Erikerl» (Kammersänger Erik Schmedes) gestern gedraht und eine große Eifersuchtsszene mit seiner Gnädigen, dem Fräulein Putzi, gehabt hat.

Sie wäre aber auch eine Bisgurn, eine Megäre und ließe dem armen Eriker keinen lichten Moment.

Er machte bei den Kameraden von Fall zu Fall kleinere Arbeiten, die infolge seines Redestromes immer sehr lange dauerten.

Wenn man wissen wollte, was in Wien vorgeht, ließ man sich Freudenberger kommen, zog ihm die Würmer aus der Nase, fratschelte ihn aus, erforschte ihn, ließ ihn feststellen.

Es genügte zu sagen: «Lieber Meister, Sie wissen doch alles, was ist daran wahr — ich habe gehört, daß — —.»

Schon war man eines dreiviertelstündigen Redekataraktes sicher, dem nur Einhalt geboten werden konnte, wenn man aus dem Zimmer ging.

Ein köstliches Original, harmlos, gut, treu und ohne Pause begeistert.

Wenn ich den so auf die Leinwand brächte, wie er ist, würde man mir vorwerfen, ich übertreibe, und das künstlerische Maßhalten sei mir fremd.

Dieser besagte Freudenberger hatte einen Kreis junger Leute um sich, die er mit den von den Kollegen gespendeten Stehplätzen beteilte, und von seinem Hauptquartier aus dirigierte er den Beifall.

Er wußte genau, wo er mit dem Applaus einzusetzen hatte, wo nach einer gelungenen Arie ein aus dem Innern kommendes Bravo und darauf das Händeklatschen am Platze war, in welches die acht Freikartenschärler einstimmten, bis das ganze Haus mitapplaudierte.

In diesen Beifallsorkan wurde noch ein unartikuliertes Grölen eingeschaltet, man schrie die Namen der Künstler, und besonders nach den Aktschlüssen machte man sehr in Frenetik.

Während des Krieges, besonders aber in der Nachkriegszeit, hat sich dieser, ehemals nur der Kunstbegeisterung entsprungene Brauch, wesentlich geändert.

Es kamen Herren zu den Kollegen, die sie auf die Wichtigkeit des künstlichen Beifalls aufmerksam machten und einflochten, daß, falls der Obolus, der verlangt wurde, verweigert werden sollte, sich leicht Mißfallensäußerungen ergeben und dem Sänger schaden könnten. —

Auch zu mir kamen sie, ich habe sie hinausgeschmissen.

Aber dieser Unfug dauerte gottlob nicht allzulange.

Als das Ärgernis seinen Höhepunkt erreichte, wurde es abgeschafft.

Es war eine recht widerwärtige Zeit, und ich freue mich, ihr Ende noch erlebt zu haben.

Anders ist es draußen, in der internationalen Karriere.

Da war es einfach unmöglich, die Claque zu umgehen.

Besonders wenn man italienische Rollen sang, mußte man sich fügen.

In New York, an der Metropolitanoper, mußte ich für jeden Abend, an dem ich sang, dem Chef der Claque zwanzig Dollar bezahlen.

Nicht des zu erwartenden Beifalls wegen, sondern um keine Opposition zu haben.

Auch die kleinsten Kameraden, die nur Ansagerollen darzustellen hatten, blieben von diesem Tribut nicht verschont.

Ich sang eines Abends in New York den Troubadour. Es tritt der Bote auf, bringt einen Brief und hat nur zu singen: «Auf dieses Schreiben gib Antwort mir.»

Da schrillt ein gellendes Pfeifen durch den Raum.

Rufe, wie: — basta — via cane — und Gelächter sind zu hören.

Verstört zieht sich der arme Kerl in die Kulisse zurück.

Als ich dann fragte, was denn das zu bedeuten habe, gab man mir zur Antwort: «Er hat nicht bezahlt.»

Vor vielen Jahren, lange vor dem Weltkrieg, sang ich an einem großen Opernhaus in Italien.

Es wurde mir ein Mann gemeldet, auf dessen Visitenkarte zu lesen stand: Hannibalo Krepezzoni, Chef de Claque.

Ich ließ ihn eintreten, er schilderte mir die Annehmlichkeiten der Claque in glühendsten Farben.

Meine Kollegen hatten mir den Besuch dieses Herrn schon angekündigt und meinten, daß es geraten sei, ihm recht freundlich entgegenzukommen, weil er «pericoloso», das heißt gefährlich wäre.

Man solle ihm das Maul stopfen.

Also berappte ich.

200 Lire für den ersten und je 100 Lire für jeden weiteren Abend war die Taxe.

Eine Stunde später brachte das Mädchen wieder eine Visitenkarte: Cavaliere Oreste Krachelotti, Chef de Claque.

Ich sagte ihm, daß schon Signor Krepezzoni, der Claquechef, da war, dem ich bereits 200 Lire bezahlte.

Da klopfte mir der Cavaliere mitleidig auf die Schulter: «Povero Commendatore, da sind Sie einem Verbrecher zum Opfer gefallen!

Ich bin der richtige Claquechef, mir müssen Sie bezahlen! 200 Lire ist auch nicht der Preis, sondern 350 Lire.»

Er rechnete mir vor, was ein Billett mit Ingresso kostet, wieviel Mann er einstellen muß, was er für Spesen hat und wie er bei diesem Geschäft draufzahlt.

Ich ließ mich aber nicht ins Bockshorn jagen, vertröstete ihn auf später, da ich mich erst bei der Impresa informieren wolle.

Ich habe ihn nie wieder gesehen.

Das ist wohl jetzt auch anders geworden, wie sich ja in Italien alles zum besten gewendet hat.

Für einen deutschen Sänger ist es sehr schwer, sich in diese Erpressereien hineinzufinden — aber was soll man tun?

Man muß mit den Wölfen heulen, sonst wird man von ihnen gefressen.

Aber in Wien darf das nicht sein, da paßt es nicht hin, auch in Deutschland kennt man diese unerfreuliche Institution gar nicht.

Ich finde, daß man sich angesichts des erkauften Enthusiasmus eines ungewöhnlich dreckigen Gefühls nicht erwehren kann und ehrlichen, wirklichen Beifall unwillkürlich den bezahlten Händen zuzuschieben geneigt ist.

Darum fort mit der Claque bei uns, sie ist unser unwürdig!

Wenn die Claqueure nicht da sind, so wird bestimmt das Publikum Beifall spenden, und das ist dann viel erfreulicher.

ABERGLAUBEN

Alle Menschen, die in ihrem Leben von irgendeinem Zufall abhängig sind und denen dieser Zufall einen Streich spielen könnte, sind abergläubisch.

Der Seemann hängt von Wind und Wetter ab, der Flugzeugführer vom Aussetzen seines Motors, der Fischer von den Heringen, die er fangen will.

Am intensivsten aber hängt der singende oder darstellende Künstler vom Zufall ab, weil tausenderlei Tücken ihm Schaden zufügen können.

Mein lieber Leser!

Hast du je im Leben gesungen?

Ich meine, öffentlich, gegen Entgelt gesungen?

Bist du je in die Lage gekommen, in einem Riesentheater vor Tausenden von Menschen zu stehen und in Tönen zu ihnen zu sprechen?

Wo du nie weißt, wird es gelingen, wird es nicht gelingen?

Frösche, die man sonst nie empfindet, an deren Existenz man normal nicht einmal denkt, geben sich gerade vor Beginn einer Arie in deinem Halse Rendezvous, und du fürchtest jeden Augenblick, jetzt wird dieser oder jener Ton als eine mit Spucke durchsetzte Trillerkette deinem begnadeten Kehlkopf entströmen.

Es gibt in unserem Berufe Arien, bei denen man sich in fünf Minuten auf zehn Jahre hinaus blamieren kann.

Da wird man eben abergläubisch.

Da nistet sich der Aberglaube bei den meisten ein und ist nicht loszuwerden.

Man klopft an Holz, flüstert sich gegenseitig ein toi, toi, toi zu, bittet die Kollegen, einen vor dem Auftreten anzuspucken, weil das Glück bringen soll, und hält sich gegenseitig die Daumen, trotzdem man weiß, daß dies alles für die Katz ist.

Ein besonders abergläubischer Kamerad bat uns, ihm bei seiner Arie die Daumen zu halten.

Wir standen in der ersten Kulisse, hielten ihm beide Hände mit den zusammengedrückten Daumen hin.

Als sein hoher Ton kam, gaben wir die Daumen frei.

Er sah dies, da ist ihm der hohe Ton abgerissen.

Manchmal treibt der Aberglaube derartige Blüten, daß man an

der Zurechnungsfähigkeit mancher Kollegen zweifeln möchte. Ich allerdings bin vollständig frei von jedem Aberglauben und weise jeden diesbezüglichen Verdacht ernst und würdevoll zurück.

Daß ich am 13. nichts unternehme, nie in einem Schlafwagenbett Nr. 13 reisen würde, mich nie in ein Taxi setze, in dessen Nummer eine 13 vorkommt oder bei dem die Gesamtsumme der Taxinummer 13 ergibt oder diese gar durch 13 teilbar ist, ist selbstverständlich.

Auch würde ich nie und nimmer mit dem linken Fuß aufstehen.

Sollte dies einmal der Fall sein, dann steige ich wieder ins Bett zurück und stelle das Lever richtig.

Wenn ich mich in meiner Garderobe schminke und es pfeift jemand auf dem Korridor, erschrecke ich zu Tode und schmeiße dem Pfeifer einen Stiefel nach.

Denn wenn jemand im Theater pfeift, so ist es sicher, daß das Publikum es auch tut, wenn ich eine Arie schmettere.

Auch der Freitag ist ein Tag, der mich irritiert.

Sollte er aber auch noch mit dem 13. des Monats zusammenfallen, bleibe ich im Bett und lese meine «Sämtlichen Werke».

Es gibt noch eine Reihe solcher Hemmungen, aber die verrate ich nicht, weil man mich am Ende doch für abergläubisch halten könnte.

GRAMMOPHON

Bevor die Schallplatte war, war die Wachswalze.

Diese hieß volltönend: Phonograph.

Man wurde zum Besingen von Wachswalzen eingeladen, dafür bekam man als Honorar einen Phonographenapparat, der ein krächzendes Geräusch von sich gab, über welches man sich außerordentlich freute.

Dann kam die Schallplatte.

Da wurde man auch vorerst für einen Apparat samt Riesentrichter engagiert und mußte für diesen Hekatomben von Piecen singen.

Quasi nach Gewicht.

Ich war einer der allerersten, eine Art Pionier, und weil sich meine Stimme gut eignete und weniger kreischte als die der andern, war ich geradezu gesucht.

Das weitere Honorar betrug fünfzig Gulden für die Aufnahme (es gab damals nur einseitige Platten), wobei man immer bemogelt wurde.

Die betreffenden Unternehmer, die damals wie die Pilze aus der Erde schossen, erklärten stets, die Aufnahme sei mißlungen, was mit einer Lupe aus den Rillen herausgefunden wurde.

Oft sang man sich einen Leistenbruch, bis man zu seinen fünfzig Gulden kam.

Immer wieder mußte man die Arie wiederholen.

Als ich eines Tages in Erfahrung brachte, daß diese Wiederholungen deshalb gemacht wurden, weil man von einer Wachsaufnahme nur eine beschränkte Anzahl von Platten pressen konnte, setzte ich mich zur Wehr, indem ich ihnen etwas pfiff.

Aus all diesen vielen Schallplattenunternehmungen kristallisierten sich dann die großen Gesellschaften: Grammophon, Odeon und andere heraus, bei denen man gegen ein vernünftiges Entgelt und später auch auf prozentuale Beteiligung Verträge bekam.

Zuerst sang man in einen kleinen Blechtrichter.

Das Orchester saß, in die Höhe geschichtet, enge um einen herum.

In einem kleinen Raum war man so zusammengepfercht, daß man sich kaum rühren konnte.

Selbstverständlich war es kein Wunder, wenn man nach einigen

Gott, war ich damals gut bei Stimme!

Stunden Arbeit total fertig, mit heraushängender Zunge und welken Gliedern, den Tatort verließ.

Erst seit einigen Jahren sind die wunderbaren, sogenannten elektrischen Aufnahmen möglich, bei denen man, wie auf dem Theater, in einem großen Raum, meist einem Konzertsaal, vor dem Mikrophon steht und so singt, als ob man vor dem Publikum sänge.

Dieses Publikum wird durch Teppiche, die über die Logenbrüstungen und Parkettstühle gelegt werden, ersetzt, um die Akustik richtig herauszubekommen.

Das Orchester ist in angemessenem Abstand um den Sänger gruppiert, und man fühlt sich außergewöhnlich wohl.

Anstrengend und aufreibend bleibt es natürlich immer.

Wenn eine Bombenarie schon fast fertiggesungen war und einem die Eingeweide zwischen den Lippen hervorquollen, mußte aus irgendeinem Grunde das Ganze noch einmal gemacht werden, eventuell auch zwei- oder dreimal.

Ach und es gibt so viele Gründe!

Jemand niest oder hustet — einem Musiker fällt das Flügelhorn aus der Hand — oder ein Sessel quietscht mit befremdendem Geräusch.

Tücke des Objekts.

Da heißt es: noch einmal, bitte.

Man explodiert und wiederholt, denn es muß ja sein, schon im eigenen Interesse darf man etwas Unvollkommenes nicht passieren lassen, weil sonst die Platten niemand kauft.

Das wäre bei prozentualer Beteiligung ungünstig.

Aber wenn alles schön gelungen ist und man sich seine Arien und Lieder vorspielt, freut man sich und wartet auf die Abrechnung.

Vor dem Kriege waren die Abrechnungen erquickend, aber jetzt sind sie niederschmetternd.

Kein Mensch kauft Lieder von Schubert, Schumann, Brahms oder Opernarien.

Nur Schlagerlieder und Jazz.

Aber das macht nichts, die Platten sind eine herrliche Erinnerung an einst, eine wunderbare Stimmkonserve, und wenn ich einmal in Walhall als Unsterblicher unter den Unsterblichen sitzen werde und kein Mensch mehr wissen wird, daß ich je da war, wird man in meiner nachkommenden Familie den Urahn spielen lassen.

Ich werde von oben befriedigt zuhören und sagen: «Gott, war ich damals gut bei Stimme!»

RADIO

Auch als Radiosänger und Dichter am Vorlesetisch war ich Pionier.

Ich war einer der ersten, die in Wien zum Singen eingeladen wurden.

Das Radiostudio bestand damals nur aus zwei Zimmerchen im neuen Kriegsministerium, im vierten Stock, ohne Fahrstuhl.

Wenn man oben ankam, hing einem die Zunge zum Hals heraus und man brauchte eine halbe Stunde, bis man reden oder gar singen konnte.

Das Studio war ganz mit Stoffen behängt, in der Mitte stand das Mikrophon, und da lernte ich zum ersten Male außer dem Lampenfieber auch das Mikrophonfieber kennen, das mit dem ersteren identisch ist, sich aber in noch intensiverer Form auswirkt, weil man sich da nicht nur vor den anwesenden Zuhörern, sondern vor der ganzen Welt blamieren kann.

Damals gab es die Detektoren.

Kleine viereckige Kästchen, wo der Ton durch zwei sich berührende Edelsteine hervorgerufen wurde.

Das heißt, Edelsteine ist übertrieben, es waren zwei Glimmerschiefer, sogenannte Mistaliten.

Mistaliten kommt von Mist — recte Dreck.

Dieser Detektor wurde mit einem langen Draht an die Wasserleitung oder einen Gaskandelaber angeschlossen.

Über den Draht stürzte man teils, teils fiel man oder blieb zumindest an diesem hängen.

In das Kästchen wurden die Kopfhörer hineingesteckt, die für Leute, die abstehende Ohren hatten, günstig waren, weil sie die Ohren mit Energie an die Kopfhaut preßten.

Die Programme waren nicht allzu reichhaltig und beschränkten sich nur auf wenige Stunden im Tag.

Nach jeder Piece, jedem Vortrag wurde angesagt: Fünf Minuten Pause.

Diese fünf Minuten benutzte man, den Kopfhörer wegzulegen, weil er drückte.

Oft kam es vor, daß man diese fünf Minuten übersah und die nächste Sendung versäumte, was man als ärgerlich empfand.

Dann kamen die Lautsprecher.

Ungetüme von großen Dimensionen, die jeden Raum verunstalteten und oft umfielen.

Fielen sie zur Erde, waren sie hin.

Eine Annehmlichkeit der Radioapparate war es auch, daß sie in vierzehn Tagen unmodern waren und durch Neuerungen und Verbesserungen ersetzt wurden.

Dann hatte man an seinem augenblicklichen Gerät keine Freude mehr und kaufte sich ein neues, das in weiteren vierzehn Tagen wieder reif zum Wegwerfen war.

So wurde das Radio schon damals ein Born von Verdruß und Ärger.

Erst als Apparate mit eingebautem Lautsprecher in den Handel kamen, wurde es besser.

Aber auch hier wechselte der Wert schnell, weil sich immer Leute fanden, die neue Erfindungen machten, und man wieder diese neuen Geräte haben wollte.

So ging es fort, und mein Gedächtnis reicht nicht aus, alle die Radiogeräte zusammenzuzählen, die ich im Laufe der Jahre besessen habe.

Das Ohr wurde immer empfindlicher, man wurde immer anspruchsvoller und damit unzufriedener.

Vorerst hörte man nur den Sender seiner Stadt.

Dann kam man auf die Idee, auch andere Städte zu hören, was meistens sehr problematisch war.

Mein Freund Otto rief mich an und sagte: «Du, Leo, ich habe jetzt einen phantastischen Apparat – ich höre London!»

Ich stürzte zu ihm, er führte mir London vor.

Ein Krachen, Knallen, Kreischen und Pfeifen scholl mir entgegen.

Stolz zeigte er auf seinen Apparat: «Das ist London.»

Ein Optimist.

So wurde immer verbessert, bis es so weit kam, daß man, wie heute, alles klar und deutlich hören konnte.

Allerdings, wenn ein Gewitter in Spanien war, störte es den Wiener Sender und man ächzte unter den unwahrscheinlichsten Geräuschen.

Das ist übrigens auch heute noch der Fall.

Wenn bei uns am Tegernsee der Metzger die Wurstmaschine in Betrieb setzt, so drängt sich diese so vor, daß sie jede Sendung erschlägt.

Man hat zwar die Entstörungsvorschriften, laut welchen jedermann verpflichtet ist, seine elektrischen Maschinen zu entstören.

Das geschieht aber nie, und wenn man darauf bestünde, würde man sich Feinde schaffen.

Also läßt man den Metzger stören und wartet, bis er nicht mehr wurstet.

Dem Radio verdanke ich auch ein angenehmes Erlebnis.

Eines Abends gingen wir mit Freunden ins Kabarett.

Der Conférencier, ein guter Bekannter vor mir, hatte auf der Bühne ein Mikrophon vor sich stehen, in das er eine Ansprache an die lieben Hörer hielt.

Er sagte: «Es ist so gemütlich hier, wir haben bedeutende, liebe Gäste unter uns, da sitzt zum Beispiel unser lieber Kammersänger Slezak mit seiner Familie und unterhält sich großartig.

Ich begrüße unseren Leo auf das herzlichste.

Liebe Hörer, eine vertrauliche Mitteilung: Er hat eine Telephonnummer, die niemand kennt.

Eine Geheimnummer.

Ich kenne sie, weil ich sein Vertrauen besitze.

Sie lautet: R 287 56. (Meine richtige Nummer.)

Vergessen Sie nicht, ihn anzurufen, er hat es so gerne, wenn man ihn morgens um sechs oder sieben fragt, wie er geschlafen hat.

Also ich wiederhole, notieren Sie: R 287 56.

Vergessen Sie nicht, ihn anzurufen, machen Sie ihm diese kleine Freude.»

Alles lachte schallend, ich lachte mit, weil ich keine Ahnung hatte, daß diese Vorstellung wirklich am Radio übertragen wurde.

Am nächsten Morgen, als ich in mein Zimmer trat, kam mir unsere Rosa vollständig verstört, mit aus den Höhlen tretenden Augen entgegen:

«Herr Kammersänger, seit halb sieben geht ununterbrochen das Telephon, ohne Pause, so daß ich gar nicht zu meiner Arbeit komme!

Die blödesten Sachen werden gefragt, wie Sie geschlafen haben, was Sie machen, was Sie zum Frühstück essen und so weiter.

Ich weiß mir keinen Rat!»

Da fiel mir die Ansprache des Conférenciers von gestern ein, ich lachte und setzte mich zum Frühstück.

Bald lachte ich aber nicht mehr.

Das Telephon läutete:

«Guten Morgen, Herr Kammersänger, bitte singen Sie mir etwas vor.»

Der Nächste: «Sie alter Trottel, wie haben Sie geschlafen?»

So ging das weiter, nette Scherze wechselten mit weniger netten, das Telephon blieb nicht einen Augenblick still.

Um zehn Uhr war ich derart schachmatt, daß ich die Telephondirektion anrief, dieser meine Leiden in farbigen Worten schilderte und bat, mir sofort eine andere Anschlußnummer zu geben.

«Ja, Herr Kammersänger, das ist nicht so einfach, da müssen Sie ein schriftliches Gesuch um Abänderung Ihrer Rufnummer machen, in ungefähr acht bis zehn Tagen bekommen Sie dann eine neue Nummer.»

«Liebes Fräulein, in acht bis zehn Tagen bin ich im Irrenhaus, da brauche ich sie nicht mehr. Gleich, sofort muß ich die neue Nummer haben!»

«Ohne schriftliches Gesuch ist das ausgeschlossen, vielleicht können Sie dieses mit einem Boten hierher senden, ich will sehen, was sich machen läßt», kicherte das Fräulein sichtlich erheitert ins Telephon.

Ich schrieb sofort ein Gesuch, in dem ich die Abänderung meiner Nummer auf das lebhafteste begründete, und sandte es mit meinem Chauffeur an die Direktion.

Um ein Uhr mittags hatte ich eine neue Nummer, mein Gesuch hatte scheinbar die Telephongewaltigen doch gerührt.

Ich war selig und hoffte, jetzt meine Ruhe zu haben.

Da läutete es wieder.

Aha, denke ich, das ist das Amt. — Aber nein.

«Bitte, ist dort das Dorotheum?»

«Nein», knallte ich zurück, «falsch verbunden!»

Als ich nun sechzehnmal hintereinander als Dorotheum — das ist das Wiener Versatzamt — angeklingelt wurde, bat ich von neuem um eine andere Nummer.

Ich hatte U 326 45 und das Dorotheum U 326 46. Schrecklich!

Am nächsten Tag bekam ich eine neue Nummer, die mir endlich die ersehnte Ruhe brachte.

Als ich meinem Radioconférencier begegnete und er mich — so eine Frechheit! — um meine neue Nummer bat, mußte ich an mich halten, um ihn nicht zu verstümmeln.

Wenn ich jetzt ins Kabarett gehe, frage ich zuerst an, ob eine Radioübertragung ist.

Ist dies der Fall, dann bleibe ich zu Hause.

Als unverbesserlicher Schwarzseher und Miesmacher habe ich erst die Leiden geschildert, die so ein Radio schafft, und nun will ich mich auch der Freuden erinnern, die es bringt.

Erstens einmal verdient man Geld, wenn man am Radio singt, bekommt Mammon und Zaster, und in zweiter Linie weiß man, was in der Welt vorgeht.

Heute kann man sich ein Leben ohne Radio gar nicht vorstellen.

Ich schleppe mein Reiseradio überall mit mir herum, da ich doch noch immer aus einem Hotel in das andere wandle, und habe in meinem Auto eines eingebaut.

In meiner Wut rief ich die Ravag an

Man hört oft gar nicht hin, aber spielen muß es.

Alle Märsche sämtlicher deutscher Regimenter kenne ich längst in- und auswendig, vom Prinzen Eugen, dem edlen Ritter, über Friedrich den Großen, bis zum Erika-Lied und dem nicht zu erschütternden Seemann.

Alle Walzer der Erde sind mir in Fleisch und Blut übergegangen, und ich koche, wenn ich sie höre.

Vom Glühwürmchen Altmeister Linkes kenne ich jeden Takt und wäre imstande, es ohne Probe auswendig zu dirigieren.

Dann kommen wieder erhebende Sachen, wie Symphonien, Kammermusik, die ich so liebe, und Opernübertragungen.

Allerdings auch, besonders damals vor vielen Jahren in Wien, singende Protektionskinder, die den lieben Hörer in dreißig Minuten für eine Woche zum Rasen brachten. Da ist mir eine kleine Begebenheit erinnerlich.

In Wien jaulte so eine Jungfrau eine halbe Stunde Hugo Wolf und Franz Schubert, daß sich diese beiden toten Meister wie Ventilatoren in ihren Gräbern herumdrehten.

Das liebe Mädchen sang falsch, atmete in die Worte hinein, kurz, quälte den lieben Radiohörer und wurde vom Korrepetitor der Oper, Professor Meller, auf dem Klavier begleitet.

In meiner Wut rief ich die Ravag an und bat Professor Meller zum Telephon.

«Hallo, hier Meller.» — «Hier Slezak.»

«Lieber Freund, ich habe die Sendung jetzt gehört und frage Sie, ob Sie nicht irgendein Hackel zur Hand haben, um diese wunderbare Sängerin zu erschlagen.»

«Wie bitte?»

«Ein Hackel, ein Beil.»

«Ich verstehe nicht!»

«Ein Fleischhauerbeil zum Erschlagen der Sopranistin.»

«Ach, Herr Kammersänger, da wird sich aber die Dame freuen, daß Sie so zufrieden waren, sie steht neben mir, sagen Sie es ihr doch selbst.»

Da flötet es ins Telephon: «Herr Kammersänger, Herr Professor Meller sagt mir soeben, daß Sie so zufrieden waren und mich so glänzend gefunden haben, ich danke Ihnen, Sie glauben nicht, was mir Ihr lieber Anruf für eine Freude macht.

Ich bin glücklich, daß ich so gut bei Stimme war.

Ich danke Ihnen herzlich!»

Ich saß da vor meinem Telephon wie ein begossener Pudel, und es blieb mir nichts anderes übrig, als dem Mädchen ein paar freundliche Worte zu sagen.

Als ich Meller in der Oper traf und er mir grinsend entgegenkam, trat ich ihm auf den rechten Fuß, daß er wochenlang nur mit dem linken das Pedal beim Klavier bedienen konnte.

Sehr nett waren die verschiedenen Rundfunksendungen in aller Welt.

In Wien untermalte ich meine Liederabende derart mit Humor, daß man sich nur an die Scherze hielt, meiner Singerei gar nicht zuhörte und diese als unwillkommenes Beiwerk empfand.

Am liebsten war ich der Dichter am Vorlesetisch.

Da konnte ich mich in Vorreden und Ansprachen so recht ausleben und das Ärgernis der ganzen Welt auf mich laden.

Zu Beginn der Radioepoche gab es Rückkoppler, die die Sendungen empfindlich störten, und dann die so mit Recht perhorreszierten Schwarzhörer.

Schwarzhörer gibt es leider auch noch heute, das sind die, die den monatlichen Obolus dem lieben guten Rundfunk nicht bezahlen wollen, diesen um den Macherlohn betakeln.

Am Schlusse jeder Sendung, abends um zehn Uhr, sagte der Ansager: «Nun, meine lieben Radiofreunde, beschließen wir unser Programm — vergessen Sie nicht, Ihre Freiantenne zu erden und die Gashähne in Ihrer Wohnung zu schließen.

Schlafen Sie wohl, meine lieben Hörer und Hörerinnen — gute Nacht — gute Nacht!»

Eines Abends vernahm man nach diesem Satz noch einen Nachsatz: «So, ihr Idioten, jetzt ist Schluß mit diesem faulen Zauber, rutscht mir den Buckel 'runter, ihr Rasselbande!»

Der Arme dachte, es wäre schon abgeschaltet, und so kam die wahre Gesinnung seinen lieben Hörern gegenüber zum Durchbruch.

Das hatte zur Folge, daß man ihn am nächsten Tage durch einen anderen Ansager ersetzt fand.

Bei Übertragungen in der Oper benutzten wir nach den Aktschlüssen das Radio, um unseren Bekannten urwüchsige Grüße zu sagen und noch allerlei Unfug zu treiben.

Es war in Wien die Gepflogenheit des Galeriepublikums, während die Künstler sich vor dem Vorhang bedankten, die Namen ihrer Lieblinge zu brüllen.

Wenn wir nun an die Rampe gingen, um uns zu verbeugen, rief ich immer: «Hoch Slezak» in das zu beiden Seiten des Proszeniums angebrachte Mikrophon.

Das machte Schule, und nach dem Tannhäuser rief auch der Wolfram seinen Namen: «Hoch Jerger!»

Ich rief dazu: «Nicht Jerger, nur Slezak allein — hoch!»

Das nahm derartige Dimensionen an, daß die Ravag in Zukunft sofort nach dem letzten Akkord der Oper die Verbindung abschaltete.

Aus war's mit den selbstgebrachten Ovationen.

Wenn man im Studio sang, irritierte es den Künstler anfangs, daß nach Beendigung einer Arie oder eines Liedes weder Bei- noch Mißfallensäußerungen stattfanden.

Da half ich mir, indem ich selbst applaudierte und den Hörern sagte: «Diesen frenetischen Applaus habe ich mir selber gespendet.

Ich ersuche die lieben Hörer, daheim an ihren Apparaten mitzuklatschen.»

So leistete man sich allerlei Humoriaden.

Ein herrliches Wort, Humoriaden.

Das werde ich jetzt öfters anwenden.

Ich kann mit Befriedigung feststellen, daß ich zur Bereicherung des deutschen Wortschatzes Erhebliches beigetragen habe.

Radiosingen ist eine aufregende Angelegenheit.

Obwohl ich kein Neuling mehr bin, erfaßt mich immer wieder eine gewisse Unruhe und Angst, denn das Mikrophon ist, wie ich in dem Kapitel Film noch ausführen werde, erbarmungslos und gibt alles quasi als Rohdruck wieder.

Man hängt von vielerlei Zufälligkeiten, auch technischer Natur, ab, die sich oft unangenehm auswirken.

Ist zum Beispiel ein Radiohörer ein krasser Unwissender in der Behandlung seines Apparates, stellt diesen schlecht ein und ich knarre wie eine uneingeschmierte Haustüre, erzählt er in seinem Bekanntenkreise, dieser Slezak war zum Kotzen.

Nach so einem Liederabend im Studio kam mir meine Frau meist mit einem überlangen Gesicht entgegen, in dem sich hoffnungslose Verzweiflung malte, und meinte, diese oder jene Stelle habe bedenklich gewackelt und die Stimme habe belegt geklungen. Freunde, die auch zuhörten, sagten wieder, das sei ausgeschlossen, denn gerade diese Stelle sei sehr schön gewesen.

Allerdings hätte ich bei einer anderen Stelle gescheppert.

Man sieht im Geiste alle Gesangslehrer und Stimmkollegen der Erde bei ihren Lautsprechern sitzen und Analysen meiner Gesangskunst vornehmen.

Briefe flattern ins Haus mit Ratschlägen, Lob und vernichtender Kritik.

Man möge doch nicht den Ton so greulich an die Wirbelsäule pressen und in der Produktion des Tonkataraktes nicht so an das Gaumensegel anschlagen und auf die Luftzuführung, mittels breitgetretenem Zwerchfell, achten.

Außerdem sei der Ton nicht genügend vorne, und man habe kein Wort verstanden.

Man geht dann wochenlang in Zweifeln herum und weiß nicht,

soll man stolz sein auf sich oder mittels Aufhängen am nächsten Kleiderhaken aus diesem Leben scheiden.

Sollte ich bei einem der kommenden Liederabende am Radio zum Abschießen reif sein, bitte ich, es auf die mangelhafte Wiedergabe Ihres Apparates zu schieben und mich gut zu finden.

Ich will nun eine kleine Probe so einer Sendung geben, damit der liebe Leser belehrt wird, wie das vor sich geht.

Nachdem die Empfangspräliminarien beendet sind, ich leutselig um mich herum gegrüßt und jedem einzelnen einen womöglich nicht beleidigenden Scherz zugeworfen habe, werde ich in das für vorlesende Dichter bestimmte Sendekabinett geführt, zu einem Tisch geleitet, auf dem sich eine grünbeschirmte Kipplampe befindet, die ihre Lichtstrahlen auf das aus der Tasche gezogene Manuskript wirft.

In der Mitte des Tisches steht das mit Recht so berüchtigte Mikrophon.

Man gibt mir einen Stuhl, auf den ich mich setze.

Dann nehme ich meine Brille aus der Tasche, reinige sie von allem Unrat, damit mir die Schmutzflankerln nicht die Sicht nehmen, und setze sie auf.

Die Brille soll nicht etwa besagen, daß ich schlechte Augen habe, beileibe nicht, das hat nichts mit den Augen zu tun, nur meine Arme sind ein wenig zu kurz.

Daß man sich vorher, ehe man den Senderaum betritt, den Winterrock auszieht und diesen dorthin hängt, wo er nicht gestohlen werden kann, halte ich für überflüssig zu erwähnen, weil das ja selbstverständlich ist.

Ich hasse umständliche Milieuschilderungen.

Der Ansager beugt sich zum Mikrophon und sagt schlicht:

«Meine verehrten Hörer, Herr Kammersänger Slezak, Ihnen sicher von seinem Wirken an unserer Staatsoper bekannt, wird aus seinen Schriften vorlesen.

Bitte, Herr Kammersänger.»

Meine lieben Zuhörer, Schwarzhörer, würdige Greise und kleine Kinder!

Sie haben keine Ahnung, wie aufgeregt ich bin.

Ich habe 39,6 Mikrophonfieber.

Stellen Sie sich vor, es ist das erstemal, daß ich als Dichter vor dem Wiener Mikrophon sitze und Ihnen aus meinen Dichtungen vorlesen darf.

Ohne jede Musikbegleitung soll ich zu Ihnen sprechen, kein Klavier, kein Orchester ist da, auf das ich mich ausreden kann, wenn es schiefgehen sollte.

Man wollte erst, ich sollte etwas singen, aber das lehnte ich ab, das kann jeder.

Jeder Tenorist kann singen.

Und was meinen Sie, meine verehrten Zuhörer, wie viele da herumlaufen, es ist schrecklich, überall klafft einem die Konkurrenz entgegen.

Wohin das Auge blickt, nichts als Tenoristen.

Alle werden sie jetzt bei ihrem Ätherkasten sitzen und darauf warten, daß ich steckenbleibe.

Und das ist meine Angst.

Sie, meine geliebten Radiohörer, die Sie nicht Tenor singen, Sie sind gütig, Sie sind nachsichtig, aber Stimmkollegen sind es nicht.

Die gehen herum und raunen, haben Sie dem Slezak seinen Quatsch gehört? So etwas Blödes. Der hat ja schon Artillerieverkalkung im Gehirn.

Aber fort mit diesen Hemmungen — sie sollen zerspringen — nicht Sie, meine Hörer, nein, die Übelwollenden, die mir meine radiotischen Talente neiden.

Meine lieben Hörer, Sie sehen einen verletzten Dichter vor sich, das heißt, Sie hören ihn nur.

Aus dem Vibrato in der Stimme können Sie den Grad des Sichzurückgesetztfühlens, des Unterdrücktwerdens ermessen.

Bei jedem Dichter, der aus seinen Schriften liest, ist es immer Gepflogenheit, daß vorher ein gelehrter Dozent, ein Doktor der Grübelkunde, der Philosophie, diesen eine halbe Stunde lang ob seiner Verdienste um die Literatur würdigt, ganze Kübel Lob auf sein lorbeerumkränztes Haupt ausschüttet und jede seiner Lebensphasen den Zuhörern unter die Nase reibt.

Mit einem Wort, es wird so schön von ihm gesprochen, daß wir andern Dichter uns ärgern.

Bei mir fällt alles weg.

Hinsetzen und reden.

Ohne jede Betonung meiner Vorzüge.

Sie ahnen nicht, wie mich das wurmt.

Ich habe selbstverständlich kein Wort über den mir vorenthaltenen Weihrauch gesagt, eher würde ich mir die Zunge abbeißen, man hielte mich vielleicht gar für eitel.

Da man also bei mir von allen Ehrungen Abstand nimmt, bin ich gezwungen, mich selber zu loben, und will Ihnen mein dichterisches Schaffen und die seelischen Erregungen schildern, denen ich bei der Arbeit ausgesetzt war und was mich alles bei dieser durchloderte.

Es soll ein Eigenlob werden, daß man alle Fenster öffnen muß.

Aber nein, das will ich auch nicht, will nur bescheiden sagen, daß ich zwei Bücher geschrieben habe, von denen ich Prozente bekomme.

Nachdem ich aus meinen wundervollen Büchern gelesen hatte, kam noch der Schlußsatz:

Meine Zuhörer, ich bin jetzt fertig und gehe nach Hause, aber nicht ohne mir vorher den Macherlohn für diesen köstlichen Vortrag geholt zu haben.

Ich bitte nur, falls mich einer meiner Zuhörer auf der Straße erkennen sollte, mir nicht in Erinnerung an dieses Erlebnis etwas Hartes ins Gesicht zu werfen.

Vergessen Sie nicht, Ihre Freihähne zu schließen und die Gasantenne zu erden.

Gute Nacht! —

Der herrlichste Vorzug des Radios ist: Man kann es abstellen.

RUNDFRAGEN

Seinerzeit war es epidemisch, Rundfragen an bekannte Künstler zu richten, die diese beantworten mußten.

Die Themata zu diesen Rundfragen wurden von dem jeweiligen Redakteur gestellt und waren oft von derart schillernder Mannigfaltigkeit, daß man sich wunderte, wie so etwas den Leser interessieren konnte.

Um alles wurde man befragt.

Was man von den Wiener Hausmeistern hält, und wie man sich dazu stellt, ob es wirklich berechtigt ist, daß jeder Hausbewohner seinen eigenen Haustorschlüssel bekommt oder ob man dafür ist, den alten, hergebrachten Brauch beizubehalten, im Winter eine halbe Stunde vor dem Haustor zu frieren, bis besagter Hausmeister öffnet.

Welchen Eindruck das Erklingen der Osterglocken auf die psychologische Verbindungslinie des Zentralnervensystems und deren Gehirnzellen auf den feinnervigen Künstler macht.

Auch Intimes wurde gefragt, minder Feinfühliges — wie man sich seinen Nekrolog oder gar sein Begräbnis vorstellt.

Man war oft ratlos, was man sagen sollte.

Ein Ablehnen gab es nicht, so half man sich eben, so gut man konnte.

Für viele Kollegen war es ein Fressen, ein Anlaß, des langen und breiten ganz ernsthaft in geistvollen Redewendungen zu plätschern und in gewundenen Satzkonstruktionen zu baden.

Da wurden nie gekannte Autoren aus dem fünfzehnten Jahrhundert zitiert, was die damals zu diesem Thema sagten.

Aber ich will nur von mir reden, wie ich mich aus der Affäre zog.

Ich habe einige solcher Rundfragen gesammelt, die ich nun folgen lasse.

Wohin gehen Sie im Sommer?

Geehrter Herr Redakteur!

Ihr Wissensdurst ehrt mich.

Ich teile Ihnen mit, daß ich noch bis zum 17. Juli singen muß.

Nicht aus übertriebenem Tatendrang, sondern des ach so schnöden Mammons wegen.

Am 18. Juli entkleide ich mich allen Theaterprunkes und Flitterwerks, kampfere den Rhadames ein, gebe in den Tannhäuser und Othello einige Kilo Globol, fülle die Ärmel meines Fracks mit Mottenpulver und eile an die Gestade meines geliebten Tegernsees, auf meine Liegenschaften, Latifundien und Domänen.

Mein Domänendirektor, der gleichzeitig mein Hausmeister ist, wird mich mit dem Schubkarren an der Bahn erwarten und im Namen meiner vierzehn Hühner begrüßen, deren Front ich abschreite.

Alle meine Hunde werden an mir emporspringen und meine Kleider derart schmutzig machen, daß sie in die chemische Putzerei gegeben werden müssen.

Der Jubel in meiner Brust wird sich in einer Weise Bahn brechen, daß es einer großen Intimität mit dem Schutzmann unseres Dorfes bedarf, um nicht wegen offensichtlicher Unzurechnungsfähigkeit in die Tegernseer Ortsgummizelle abgeführt zu werden.

Die Pferde meines Wagens, der mich auf mein Rittergut bringt, werden silberhell aufwiehern und die Eingeborenen werden sagen: «Der Stimmritzenprotzenbauer ist da, die Saison kann beginnen.»

Wenn jeder meiner Kameraden Ihre Rundfrage so ausführlich beantwortet, werden Sie wegen allzugroßen Papierverbrauches im nächsten Jahre an Ihre Aktionäre keine Dividenden ausschütten.

Ergebenst Ihr S.

Welche Empfindungen hatten Sie bei Ihrer erster Liebe?

Lieber Herr Schriftleiter!

Wie stellen Sie sich das vor?

Seit dreißig Jahren bin ich eine glückliche Ehe.

Meine Frau blickt zu mir empor, wie zu einem Heiligen.

Ich habe ihr erzählt, daß ich niemals vorher ein Mitglied des weiblichen Geschlechtes angesehen habe, sie die ersteste und die heilige Genoveva ein Lebemann gegen mich war, und nun soll ich wegen Ihrer Rundfrage dieses ganze Lügengewebe zerstören und meine hehre Position als unantastbares Familienoberhaupt ohne jegliches Vorleben gefährden?

Niemals! —

Und fragen Sie mich nicht solche Sachen.

Ihr ergebener S.

Was halten Sie vom Sport?

Lieber Herr Rundfrager!

Über Sport als Gesundheitsfaktor zu sprechen, darf ich mir nicht anmaßen, weil ich nur Briefmarken sammle und hier die hygienischen Vorzüge nicht so kraß in Erscheinung treten.

Daß uns Theaterleuten der Sport, wie er jetzt getätigt wird, nicht sehr sympathisch ist, kommt daher, weil durch diesen das Interesse und die Begeisterung der Jugend für das Theater und die Kunst in stetem Abnehmen begriffen sind.

Fußball, Ringen, Boxen, Laufen und Schwimmen ist ja sehr schön; das sollen sie am Tage machen, aber am Abend ins Theater gehen, sonst halte ich nicht viel vom Sport.

Bitte drucken Sie das aber nur recht klein, sonst kommt so ein Sportsmann und verbiegt mir mit seiner durchtrainierten Faust das Antlitz.

Besten Gruß, Ihr S.

Wie begründen Sie das Geheimnis künstlerischer Wirkung?

Lieber Herr Redakteur!

Das ist eine Frage, die sehr schwer zu beantworten ist.

Wir selbst, die wir auf dem Theater stehen und uns einen Erfolg ersingen wollen, wissen nicht woran es liegt, daß wir nach einer Szene, ja oft nach einer Phrase, spontanen, mit Jubel umrahmten Beifall haben und ein andermal, trotzdem wir der Meinung sind, diese Arie genau so gesungen zu haben, betrübt wegschleichen müssen, ohne daß sich eine Hand rührt. Es gibt Abende, an denen man sich zersprageln kann und die Leute sitzen da mit Gesichtern, aus denen ohne jede Beschönigung zu lesen ist, daß wir sie langweilen.

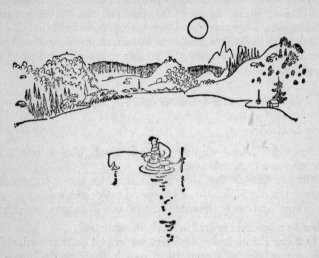

Das überträgt sich auf uns und schafft eine lederne Stimmung, die lähmend wirkt.

Oft wieder ist die Atmosphäre mit Elektrizität geladen.

Gefährlich, aber schön.

Das fühlt man in allen Gliedern, jeder Nerv ist angespannt.

An solchen Abenden gibt jeder sein Bestes und findet schnell den Kontakt mit seinem Publikum.

Das Geheimnis der künstlerischen Wirkung liegt also im Kontakt mit dem Publikum.

Diesen Kontakt herzustellen, bedeutet abermals ein Geheimnis. Somit ist unser Beruf aus lauter Geheimnissen zusammengesetzt, an deren Ergründung oft ein ganzes Menschendasein zerschellt.

Ein herrlicher Satz.

Da ich das Gefühl habe, mich mit diesen philosophischen Ergüssen lächerlich zu machen, ziehe ich mich geheimnisvoll zurück und überlasse die Enthüllung des Geheimnisses meinen Kameraden.

Ihr geheimnisvoll ergebener S.

Was sind Ihre Gedanken beim Fischen?

Fragender Zeitungsmann!

Ich fische gerne, oft und erfolglos.

Trotzdem ich weiß, daß ich für jeden Beobachter eine Quelle schallender Heiterkeit bin – fische ich.

Was ich mir beim Fischen denke?

Wenn einer beißt, denke ich: Fein, jetzt hat einer gebissen.

Sitzt man stundenlang da und stiert auf sein bewegungsloses Schwimmerl, denkt man sich: Diese Ludern beißen nicht.

Indem ich hoffe, Ihre geschätzte Rundfrage erschöpfend und für Ihre Leser wertvoll beantwortet zu haben, bin ich mit einem begeisterten Petri Heil, Ihr S.

Was halten Sie vom Tanzen?

Herr Chefredakteur!

Vor vielen Jahren versuchte ich zu tanzen, obwohl mir jede Eignung zum Parterreakrobaten fehlt.

Mit den Kniescheiben verwundete ich meine Dame, trat ihr die Daumen an den Füßen ab, schwitzte und wurde schwindlig.

Tanzen ist eine erschwerende Abart von Zähneplombierenlassen.

In Liebe Ihr S.

Wie gestaltete sich Ihr erstes Rendezvous?

Lieber Grenzbote!

Mein erstes Rendezvous ist schon so lange her, daß mir heute leider jedes Verständnis für Rendezvous abhanden gekommen ist.

Ich weiß auch nicht mehr, wie das erste war, will es auch nicht wissen.

Das ist eine Rundfrage, für deren Beantwortung ich leider nicht mehr zuständig bin.

Hervorragende Ostergrüße, Ihr S.

Was fühlten Sie bei Ihrem ersten Kuß?

Liebes Tagblatt!

Antwortlich Ihrer geschätzten Rundfrage, was ich bei meinem ersten Kuß fühlte, teile ich ergebenst mit, daß ich mich in Anbetracht des Umstandes, daß dieser erste Kuß zu keiner ehelichen Verbindung führte, also vor meiner Verheiratung stattfand, nicht äußern möchte, um eheliche Dialoge zu vermeiden.

Außerdem ist das schon so lange her, daß die Erinnerung an dieses Vorkommen ungewöhnlich verblaßt ist und eine leichtfertige Schilderung nur eine Irreführung Ihres geschätzten Leserkreises herbeiführen könnte.

Mit dem Ausdruck hochachtungsvollster Wertschätzung, zeichne ich ergebenst, Ihr S.

Was können Sie über Ihre erste Herzensneigung sagen?

Wenn möglich ausführlich berichten, weil dies auf das besondere Interesse unserer Leserinnen stößt.

Verehrter Herr Schriftleiter!

Meine erste Liebe hatte ich im Kindergarten.

Sie war ein blondes Mäderl von fünf, ich war vier Jahre alt.

Sie brachte täglich einen Apfel mit, den sie mit mir teilte.

Schon damals ging bei mir die Liebe durch den Magen.

Eines Tages wurde sie, wie immer, von ihrem Fräulein abgeholt.

Ich wollte sie als ihr Ritter begleiten, weil wir denselben Weg hatten.

Da sagte das Fräulein: «Komm, Klärchen, der garstige Bube soll nicht mitgehen, Mama will es nicht.»

Ich schlich mich beschämt davon und weinte bitterlich.

Am nächsten Morgen bot sie mir wieder ihren Apfel an, mit einem Blick, der sagte: mach dir nichts draus, ich hab dich ja doch lieb. —

Nach vielen Jahren kam ich nach Brünn, als illustrer Gast des Stadttheaters.

In einer Gesellschaft traf ich eine wunderschöne Frau.

Mein Kindergartenklärchen.

Glücklich verheiratet, Mutter zweier entzückender Kinder.

Wir erinnerten uns beide unserer Liebe im Kindergarten und waren froh, daß wir uns damals nicht gekriegt haben, denn sonst hätte sie nicht ihren Paul und ich nicht meine Liesi bekommen.

Und was tut Gott, die ganze Sache ist nicht wahr, ist schamlos erfunden.

Das kommt davon, weil ich unbedingt Rundfragen beantworten muß, die, der Wahrheit gemäß beantwortet, ungeahnte Konflikte auslösen würden.

Auf diese Weise wird ein ehrlich veranlagter Mensch zum Roman-schriftsteller.

Ihr bisher unbescholtener S.

Wir bitten um ein Abenteuer mit Blumen

Mein lieber «Mein Film»!

Ein Abenteuer mit Blumen.

Eine Rundfrage.

Wenn es sein muß, hören Sie:

In der Schule ist ein Schüler sehr unrein, ungewaschen und pickt vor Schmutz.

Der Lehrer sagt strenge: «Heinrich, du gehst sofort nach Hause und wäschst dich — du stinkst.»

Der Vater bringt den Jungen wieder in die Schule und sagt em-pört dem Lehrer: «Herr Lehrer! — Sie haben meinen Sohn zu unter-richten, aber nicht an ihm zu riechen, denn er ist kein Veilchen.»

Veilchen. — Eine Blume. — Ein Abenteuer mit Blumen.

Ich leugne nicht, daß dies ein alter Scherz ist, der schon bei der Hochzeit von Kana, seines langen Bartes wegen abgelehnt wurde, Anstoß erregte.

Ihr S.

Welche ist Ihre Lieblingsspeise?

Geehrter Herr Redakteur — neugieriger Gurnemanz!

Da ich meine Lieblingsspeise wegen Umfangerweiterung sowie-so nicht essen darf, nenne ich sie erst gar nicht.

Wozu sich Wunden schaffen?

Indem ich Sie zu den Sorgen, die Sie haben, beglückwünsche, zeichne ich ergebenst, als Ihr asketischer S.

Was für ein Schüler waren Sie in der Schule?

Liebe Morgenzeitung!

Ihre Rundfrage, was ich für ein Schüler in der Schule war, treibt mir die Röte der Verlegenheit auf die Wangen.

Man soll nicht in dunklen Punkten der Vergangenheit herum-stochern.

Was soll ich jetzt sagen?

Soll ich mich als Musterschüler hinstellen?

Als den Besten — den Ersten in der Klasse?

Das glaubte mir ja kein Mensch, weil zu viele wissen, daß es nicht wahr ist.

Um nicht näher auf die fürchterlichen Einzelheiten meiner Schulzeit eingehen zu müssen, verweigere ich die Aussage. Schon um meiner Autorität willen, die in meiner Familie, deren Oberhaupt ich bin, ohnehin ein kümmerliches Dasein fristet.

Stellen Sie nie wieder solche Fragen an mich, um das bittet Sie Ihr ganz ergebener S.

Wie stellen Sie sich Ihren Nekrolog vor?

Herr Schriftleiter!

Meinen Nekrolog stelle ich mir überhaupt nicht vor.

Das ist eine Angelegenheit meiner Hinterbliebenen.

Vorläufig bin ich noch springlebendig und von einer derartig lächerlichen Rüstigkeit, daß ich diese Frage als reichlich verfrüht ansehe.

Von Ihrem Feingefühl überrascht, bin ich Ihr S.

Soll man Kinder strafen oder nicht?

Geehrte Abendpost!

Da mir im Familien- sowohl als auch im Freundeskreise jedes Mindestmaß von pädagogischer Begabung abgesprochen wird und man mich als Erzieher nicht nur nicht anerkennt, sondern sogar bei jeder Gelegenheit demütigt, so ist meine Ansicht, ob man Kinder strafen soll oder nicht, auf keinen Fall maßgebend.

Jedenfalls steht meine väterliche Autorität als solche bei meinen Kindern auf niedrigster Stufe, was hauptsächlich daher kommt, weil ich in der Familie unterdrückt werde und eigentlich meine Kinder an mir herumerziehen.

Sogar mein Enkelchen Helga nörgelt auch schon an mir herum und findet ihren Opa fehlerhaft.

Also diese Frage ist bei mir fehl am Ort.

Ihr in den Staub getretener, aber sich dabei sehr wohl befindender ergebener S.

Liebe Kameraden und -dinnen!

Fort mit den Proben!

Dies, meine lieben Kolleginnen und Kollegen, sei Euer Leitstern. Die Proben sind ein Krebsschaden in unserm hehren Beruf.

Erstens zerstören sie die künstlerische Individualität, sie binden uns sklavisch an etwas Vorgeschriebenes und ertöten den Schöpfertrieb in uns.

Wir werden zum Nachschaffen gezwungen.

Zweitens — und das ist das Wichtigste: auf den Proben merken wir, daß wir unsere Rollen nicht können.

Der Kapellmeister meckert — korrigiert — nörgelt.

Dieses Nörgeln wird meist mit höhnischen Bemerkungen garniert, die uns den Mut zum Weiterleben rauben.

Wozu das?

Wenn wir nicht probieren und es am Abend ein Chaos gibt, soll sich der Kapellmeister mit seinem Orchester zersprageln.

Wenn es einfach nicht mehr weitergeht, so sehen wir den Guten entrüstet an und schütteln mißbilligend den Kopf.

Die Leute werden sagen: «Was sich dieser Kapellmeister wieder geleistet hat, sogar den Slezak hat er herausgebracht.»

Wie charaktervoll!

Darum, Kameraden, schreibt auf Euer Banner: Fort mit den Proben! —

Euer charaktervoller Kollege S.

P.S.

Da ich sicher annehme, daß Gewissenhafte meine Ansicht über die Proben als unrichtig und namentlich den Rat, den Kapellmeister dem Schimpf der Menge preiszugeben, empörend finden, möchte ich zur Aufklärung sagen, daß diese Zeilen für eine Faschingsnummer des Bühnenballes geschrieben wurden, nicht meine wirkliche Ansicht sind, sondern ein Scherz.

Mit dem Gefühl, rein und weiß wie ein Täubchen dazustehen, beschließe ich meine Rundfragenfolge.

ÄGYPTEN

Mein Lebenstraum, Ägypten und den Orient zu sehen, ist Wirklichkeit geworden.

Lange, lange mußte ich darauf warten.

Der Beruf und vor allem die Inflation haben verhindert, das Wunderbare schon früher kennenzulernen.

Aber das Schöne kommt nie zu spät.

Die Vorbereitungen zu dieser Reise begannen ein halbes Jahr vorher, gleich als der Plan gefaßt werden konnte, sie zu machen.

Von diesem Augenblick an beunruhigte ich alle Reisebüros und hatte in Bälde ein gerüttelt Maß von Prospekten in allen Sprachen beisammen.

Die Reisebüroinhaber begannen mich allmählich, meiner intensiven und langen Besuche wegen, zu fliehen und ich bemerkte, daß sich auch die Beamten mit der Zeit aus dem Staube machten, wenn ich kam — so daß ich mich die letzten Tage nur noch mit dem Hausdiener und der Reinigungsfrau über meine Reise unterhalten konnte.

Sie sprachen sich mit mir über Ägypten aus und waren der Meinung, daß es dort haaß ist und lauter Singhalesen umeinanderrennen.

Angesichts dieser unbefriedigenden Dialoge verließ ich das Lokal.

Einmal vergaß ich meinen Stock, und als ich zurückkehrte, fand ich alle Beamten an ihrem Platze, die, als sie mich sahen, sich wieder verkrümeln wollten.

Da wurde es mir zur Gewißheit, daß ich ihnen auf die Nerven fiel. Aber das genierte mich nicht weiter.

Wenn man eine Reise nach Ägypten macht und wissensdurstig ist, verliert man jedes Feingefühl und wird zum Egozentriker.

Meine über alle Begriffe vollkommene Gattin lernte inzwischen den Baedeker auswendig, sprach nur von Dynastien, nur von der Zeit dreitausend vor Christi, warf mit Jahreszahlen herum, daß ich ganz schwindlig wurde.

Sie konnte alle Ramsesse und Amenophisse auseinanderhalten.

Ich hatte eine Ägyptologin zur Frau, die auch mich mit ihrer milden, bohrenden Art zum Ägyptologen machte.

Unser lieber Hausarzt tat indessen das Seine, uns auf die Gefahren so einer Reise vorzubereiten.

Wir fuhren mit einem Koffer voll Medizinen ab, deren jede einzelne dazu bestimmt war, den letalen Ausgang des Bisses eines Skorpionderls oder Schlangerls, wie er es nannte, zu verhindern.

Jeder Wiener gebraucht bei besonders grauslichen Sachen ein Diminutiv.

In diesem Falle: «Skorpionderl», «Schlangerl», um dem Bösen mit ein wenig wienerischer Gemütlichkeit das allzu Krasse zu nehmen.

Je näher die Abreise kam, desto schöner fanden wir es daheim und dachten, wozu haben wir das auf unsere alten Tage nötig, uns von Skorpionderln und Uräusschlangen beißen zu lassen. Aber die Reise war schon bezahlt, es gab kein Zurück, und so kam gottlob der Tag der Abreise. Hochklopfenden Herzens nahmen wir von der Familie und den vielen Viechern Abschied.

Unter anderem auch von Putzi, dem Kiniglhasen, respektive Kaninchen, der in der Küche lebt, aber in den Salon äußerln und die Teppiche zerbeißen kommt.

Abends saßen wir im Schlafwagen Wien—Rom—Neapel, wo wir unser Schiff bestiegen, das uns nach Alexandrien brachte.

Die Seereise war, wie sie alle in unserem Leben waren — wackelig und unerfreulich.

Bei unserer seefesten Veranlagung wird uns beiden schon im Kino beim Anblick eines Kahnes schlecht.

Man kann sich das Vergnügen ausmalen, welches uns so eine Seereise bereitet.

Aber alles geht vorüber, nach drei Tagen legten wir in Alexandrien an und sahen zum ersten Male das Leben und Treiben des Orients.

Ein Geschrei, ein stimmbandlähmendes Rufen und Gestikulieren hinüber und herüber zwischen den Hafenarbeitern, Trägern und Aufsichtsorganen, alle beturbant — Menschen in allen Farben und Rassen.

Eigenartige Trachten, humoristische Hosen, die nicht im Schritt wie bei uns, sondern in der Kniegegend geteilt waren und uns zum Lachen reizten.

Wir wurden von einem Beamten des Egypt & Palestine Lloyd erwartet, der den Strom der Träger auf ein erträgliches Minimum brachte, was er mit vielen gekreischten, arabischen Wortwasserfällen erreichte.

Aus dem gefährlich aussehenden Mienenspiel und dem wilden Herumgefuchtel hofften wir Nichtorientalen, daß sich ein anheimelndes Ohrfeigenmatch herauskristallisieren würde, aber die Leidenschaften ebbten ab, die Erkorenen brachten unser Gepäck vom Schiff, und nach einer sehr milden Zolluntersuchung waren wir Ägypter.

Ich war kaum in Alexandrien angekommen, als sich einige junge Araber, mit Papier und Bleistift bewaffnet, auf mich stürzten und mich um Autogramme baten.

Ich war entzückt über die Popularität, deren ich mich sogar in Afrika erfreuen durfte, schrieb unter großer Assistenz von Araberkindern meine Autogramme, und nachdem sie mich angebettelt hatten, zogen sie unter Gelächter ab.

In Kairo wiederholte sich dasselbe vor dem Hotel Shepheards.

Wieder eine Menge junger Leute, die mich in gebrochenem Französisch um Autogramme baten.

Ich war, trotz einer gewissen Befriedigung, irgendwie irritiert.

Als ich im Büro des Palestine Lloyd diese Sache erstaunt erzählte, sagte der Direktor ganz stolz, das sei eine kleine Aufmerksamkeit von ihm, er habe überall Leute engagiert, die mich um Autogramme zu ersuchen haben, und ihnen mit vieler Mühe: «Un autographe s'il vous plaît» eingelernt, sie aber strengstens ermahnt, mich bei dieser Gelegenheit nicht anzuschnorren.

In Assyut, Luxor und Assuan, ja sogar im Sudan sei diese Ovation für mich vorbereitet.

Selbstverständlich bat ich von weiteren Ehrungen dieser Art abzusehen, und als in Luxor wieder ein paar «Begeisterte» auf mich zukamen und mir Papier und Bleistift entgegenstreckten, rief ich ihnen ein energisches «Yalla» zu.

Das heißt zu deutsch: Mach, daß du weiterkommst oder, wie wir Wiener sagen: Fahr ab. —

Eine Autofahrt von drei Stunden ließ uns Alexandrien in großen Umrissen kennenlernen.

Wir fuhren durch die Araberviertel, wo die Ärmsten der Armen in aus alten Konservenbüchsen zusammengeflickten Hütten wohnen, mit Tieren gemeinsam, gleich Tieren, ohne den geringsten Anspruch auf einen Unterschied.

Befreit atmeten wir auf, als wir in unserem Speisewagen saßen, der uns in drei Stunden nach Kairo brachte.

Endlich sahen wir in der Ferne die Pyramiden, und nach kurzer Zeit fuhren wir in den Bahnhof von Kairo ein, der einen ganz großartigen, internationalen Eindruck macht.

Wir wurden wieder von einem Funktionär des Palestine Lloyd erwartet und ins Hotel Shepheards gebracht.

Ein Riesenhotel, ganz in arabisch-ägyptischem Stil, ein prunkvoller Bau mitten in der Stadt.

Wir waren glücklich, nach tagelangem Provisorium wieder einmal in einem Bett zu schlafen, das nicht wackelt, ein Bad zu haben, aus dem das Wasser nicht aus seinem Behälter schlenkert.

Riesenhallen, endlose Korridore, in denen nubische Bediente mit weißen Kutten, roten Schärpen und den Fez auf dem Kopfe gravitätisch herumstolzierten und die Gäste ruhig dreißigmal läuten ließen, bis sie kamen.

Wenn sie da waren, sagten sie auf alles: «Yes» und gingen ohne jedes Ergebnis für uns wieder weg.

Wenn man die Chambermaid verlangte, mit der man sich verständigen konnte, war diese immer beim Dinner.

Erst wenn man in irgendeiner Sprache Lärm schlug, kam sie und fragte nach unserem Begehr.

In punkto Bedienung waren wir auf das schäbigste Minimum gesetzt.

Das Allererste, das der Fremde sehen will, sind die Pyramiden und die Sphinx.

Wir fuhren über den Nil nach Gizeh bis zum Wüstenhotel Menahouse, wo uns Kamele, Esel und Sandkarren, mit einem Pferde bespannt, erwarteten.

Die Räder dieser Sandkarren haben sehr breite Blechreifen, die nicht so in den weichen Wüstensand eindringen und ein sicheres Fahren, ohne Steckenbleiben ermöglichen.

Von den Pyramiden ist man zuerst ein wenig enttäuscht.

Man hat so viel Unerhörtes darüber gelesen, daß man sich im ersten Augenblick sagt: «Sehr schön, aber so grandios ist die Sache doch nicht.»

Erst wenn man näher kommt und sich in dieses Wunder vertieft, sich vorstellt, wie das nur menschenmöglich war, Steinquadern, von denen jeder mehrere Tonnen wiegt, herzutransportieren und dann in diese schwindelhafte Höhe zu bringen, ist man sprachlos.

Und dies geschah vor sechstausend Jahren.

Dank der interessanten Schilderungen des Dragomans, der sich von den üblichen Fremdenführern mit ihrem auswendig gelernten Herunterleiern der Sehenswürdigkeiten wohltuend unterschied, sah man das Gigantische mit anderen Augen und nahm einen überwältigenden Eindruck mit.

Diese Fremdenführer sind ein Kapitel für sich.

Sie müssen so eine Führung auswendig lernen, sagen sie, und das mit Recht, in zermürbend leidenschaftslosem, gelangweiltem Tone auf und sind erschossen, wenn man sie unterbricht. Es muß ja zum Auswachsen sein, jahraus, jahrein, unzählige Male im Tage dasselbe herunterzuquatschen. —

Wir waren in Weimar und besuchten das Schillerhaus.

Eine ältere Frau führte uns fröstelnd durch die kalten Räume.

Wir waren die einzigen Klienten und kamen zum Schlafzimmer Schillers.

Da lautete die Führung wortwörtlich in sächsischstem Sächsisch: «Schiller war keen scheener Mann — Schiller hatte rode Haare — Goede war ein scheener Mann — bitte die Bettlade nicht anzugreifen.» —

Kein Mensch stand in der Nähe der Bettlade — aber dies mußte kommen, sonst hätte die Ciceronin nicht weitergewußt.

Ich machte es mir zur rügenswerten Aufgabe, diese lieben Erklärer durch sonnigen Humor aus dem Konzept zu bringen.

Vor vielen Jahren besuchte ich einmal den fünfeckigen Turm in Nürnberg.

Mit verdrossener Miene sagte ein Mädchen ihren Spruch auf.

Als sie mitten im Erklären war und Namen von Rittern und Jahreszahlen nannte, warf ich ein: «Das glaube ich nicht, Fräulein, ich habe das Gefühl, Sie irren.»

Aus war's. Die Arme verlor den Faden und mußte ihre Epistel von vorne beginnen.

Es waren ungefähr dreißig Personen da, die mußten sich, dank meiner humorvollen Unterbrechungen, die Folterwerkzeuge viermal explizieren lassen.

Als ich dann zum fünften Male fragte: «Woher wissen Sie das, liebes Fräulein?» — begannen die Leute zu murren, man ließe sich nicht veräppeln, und auf einmal war ich draußen.

Ich habe den fünfeckigen Turm unfreiwillig verlassen.

Doch ich schweife ab.

Zurück zu den Pyramiden, zurück zur Sphinx.

Diese präsentiert sich im ersten Moment auch nicht so überwältigend, wie man es in der Phantasie, nach Beschreibungen und Bildern erwartet.

Sie war noch vor wenigen Jahren bis zur Hälfte verschüttet, ist aber jetzt ganz bloßgelegt, so daß man die Tatzen sehen kann.

Wenn man längere Zeit dieses leider devastierte Gesicht beobachtet, kann man sich eines unheimlichen Gefühls nicht erwehren.

Trotz der zerschlagenen Nase und der zertrümmerten Gesichtsteile wird es bei längerem Draufschauen zu einem Ganzen und man merkt das Fehlende gar nicht mehr.

Man sagt nicht umsonst: Geheimnisvoll wie eine Sphinx.

Es ist etwas in dem Gesicht, das einen unruhig macht, besonders in dieser Umgebung, dieser lautlosen Stille mit den drei Pyramiden und der endlosen Wüste als Hintergrund. Im übrigen hat die Sphinx eine frappante Ähnlichkeit mit Tante Karla aus Proßnitz.

Die hatte auch so eine zertepschte Nase.

In der Familie zirkuliert das Gerücht, daß sie einmal den Onkel Wladimir so reizte, daß ihr dieser eine leere Spiritusflasche nachschmiß und so vorteilhaft traf, daß sie ihr mitten auf die Nase fiel und diese in ihren jetzigen Zustand versetzte.

Sie soll daraufhin ohnmächtig geworden sein, aber erst, nachdem sie Onkel Wladi eine echte Biedermeiersuppenterrine nachgeworfen hatte, die dem lieben Onkel die Gehirnhaut ablöste.

Wenn die Suppenterrine heil geblieben wäre, so hieß es in der Familie, hätte das dem teuren Onkel Wladi nichts ausgemacht, denn er hatte von Haus aus eine ziemlich zuverlässige Schädelbildung.

Aber dadurch, daß die Terrine in Scherben ging und diese einer gewissen Schärfe nicht entbehrten, kam es, daß dem lieben Onkel der Skalp verschandelt wurde.

Natürlich ist das Familienüberlieferung und ich kann keine Garantie für die Wahrheit übernehmen.

Ich war nur froh, daß mir die Tante Karla erst beim Abschied von der Sphinx einfiel, denn sonst wäre mir die ganze Stimmung zerstört worden.

Ganz abgesehen von Tante Karla, genügt schon der Name Proßnitz allein, um den Genuß der Sphinx in Frage zu stellen.

Die Stunden verflogen im Nu, und ganz benommen von dem Erschauten fuhren wir heim in unser Hotel zum Dinner, wo sich die Kellner wie Großfürsten zur russischen Kaiserzeit gebärdeten und mich leutselig von oben herab behandelten.

Erst als ich den Direktor kommen ließ und diesen um andere Kellner ersuchte, haben sie ihr Benehmen schnell geändert.

Ich habe überhaupt eine Abneigung gegen diese ganz vornehmen, internationalen Restaurants, wo man nicht ohne Assistenz von fünf Kellnern, die um einen herumstehen, essen kann, die auf Riesenschüsseln Liliputportionen hereinbringen, diese auf Spiritusflammen stellen, einen warten lassen, bis man schwarz wird, dann die Hälfte von der Winzigkeit vorlegen und den Rest großzügig wieder hinaustragen.

Allerdings werde ich da immer originell und sage in liebenswürdig gereiztem Ton: «Bitte das hinzustellen, wir bedienen uns selbst, auch möchte ich gerne allein sein und mich ohne fünfköpfige Kontrolle unterhalten.»

Das erregt in so einem Ritz-, Majestic- oder Ixypsilonhotel arges Befremden, und die Ganymede ziehen sich mit einem Blick zurück, der einen zum Plebejer stempelt.

Ach, jetzt bin ich schon wieder abgeschwiffen, unverbesserlich bin ich in dieser Hinsicht.

Eine Fahrt durch die Basare im Araberviertel ist das Interessanteste, das man sich vorstellen kann, namentlich wenn man zum ersten Male im Orient ist.

Man kann nicht genug schauen, um die sich überstürzenden Eindrücke in sich aufzunehmen, die dieses fremdartige Leben und Treiben jeden Augenblick bietet.

Gablonz spielt in diesen Basaren eine große Rolle.

Alle Bernsteinketten, Korallen und besonders Skarabäen, die einem als wertvolle Ausgrabungen aufgeschwatzt werden, sind aus Gablonz.

Das Einkaufen ist eine kühne Angelegenheit.

Wenn etwas ein Pfund kosten soll, sei man mutig und biete zehn Piaster.

Ein großes Wehgeschrei erfüllt die Luft, aus den Mandelaugen werden schmachtende Blicke gesandt, die Verzweiflung atmen.

Der Geschäftsinhaber lädt zum Sitzen ein, läßt Kaffee kommen und erklärt, wie herrlich, wie einmalig dieses oder jenes Stück sei, und nur weil wir aus Wien sind, was er schon weiß, will er es für fünfzig Piaster lassen.

Daraufhin erhebt man sich, um fortzugehen.

Das läßt er aber nicht zu, beschwört uns, unser Interesse zu wahren, denn diese Gelegenheit käme nie wieder, und geht auf dreißig Piaster herunter.

Zum Schluß bekommt man den Ramsch um fünfzehn Piaster.

Wenn man diesen vorteilhaften Kauf abgeschlossen hat, ärgert man sich windschief, daß man nicht noch weniger geboten hat.

In Mataria sahen wir die alte Sykomore, unter der, wie die Legende sagt, die heilige Maria mit Josef und dem Jesuskinde Schutz gefunden haben soll.

Ein Riesenbaum von ungeheurem Umfang, verwittert und sehr malerisch in seinem Aussehen.

Auch eine Kirche ist in Mataria.

Sie steht in einem Vorpark mit sogenannten Salamibäumen.

Die Bäume heißen wirklich Salamibäume, und die herabhängenden Früchte gleichen, besorgniserregend, einer ungarischen Salami, die dem echten Wiener das Leben verschönt.

Ich fragte den Dragoman, ob man wohl schon zu Pharaos Zeiten die ungarische Salami gekannt hat.

Er meinte, darüber könne er keinen Aufschluß geben, er sei aus Jerusalem, und dort speziell ist die ungarische Salami unbekannt.

Dann besuchten wir die Totenstadt, die die Mameluckengräber birgt.

Vor den Toren Kairos ist eine ganze Stadt mit schönen Häusern und tempelartigen Villen den Toten geweiht.

Das Fest des Ramadan ist die Fastenzeit der Mohammedaner.

Von vier Uhr früh bis zum Sonnenuntergang, der der Stadt mit einem Kanonenschuß verkündet wird, dürfen sie nichts essen, nicht rauchen, und nicht einmal einen Tropfen Wasser zu sich nehmen.

Sowie aber der Kanonenschuß ertönt, auf den sie schon bei ihren gefüllten Töpfen warten, stürzt sich alles mit Gier auf das Essen und schlingt.

Der Mantsch, den sie in ihrem Schüsselchen haben, ist auch für das Auge höchst uneinladend.

Man erzählte uns, daß die Leute, die nach so langem Fasten abends so viel auf einmal in sich hineinschlingen, oft sehr krank werden, und es in der Zeit des Ramadan ziemlich viele Todesfälle gibt, die durch Überfressen getätigt werden.

Für einen Fresser ein herrlicher Tod.

Wir hatten auch Gelegenheit, ein mohammedanisches Begräbnis zu sehen.

Hinter dem Sarg, einer einfachen, ungehobelten Kiste, gehen zuerst zehn bis fünfzehn Weiber, die ein gräßliches Geschrei machen.

Das sind die Klageweiber, deren Anzahl und auch die Stärke des Geschreis ganz von der finanziellen Verfassung des Verstorbenen reguliert wird.

Die werden gemietet, müssen kreischen und wehklagen, was sie mit durch Mark und Bein gehenden, gellenden Trillern absolvieren

Eigens hierzu bestellte Organe kontrollieren, ob sie nicht erlahmen oder gar schlampert wehklagen.

Nun kam der Tag der Nilreise.

Das Schiff fährt nur bei Tag und geht vor Sonnenuntergang vor Anker.

So hat man die Möglichkeit, alles sehen zu können, was der Strom an Herrlichkeiten bietet.

An den Ufern die Fellachenfrauen, die Wasser schöpfen kommen mit Tonkrügen, wie sie schon vor dreitausend Jahren dieselben waren.

Dort halten sie ihr Tratscherl ab, streiten manchmal auch, daß die Fetzen fliegen, genau wie bei uns.

Dann heben sie die schwere Last auf den Kopf und schreiten majestätisch von dannen.

Pierre Loti sagt, daß die Fellachenfrauen durch dieses Alles-auf-dem-Kopf-Tragen eine Haltung bekommen, die sie zu Königinnen macht.

Ich will ihn aber lieber nicht zitieren, sonst heißt es womöglich, ich habe ihn abgeschrieben.

In Kairo besuchten wir ein Derwischkloster, das in den Felsen des Moccatangebirges eingebaut ist.

Der Vorsteher des Klosters ist eine Art Wundermann, der von

den Fellachen besonders verehrt wird und den sie in allen Lebensfragen um Rat und Beistand bitten.

Dort begegneten wir zwei wunderschönen Fellachenfrauen in ihren langen, schwarzen Gewändern.

Die Frau darf im Orient nur schwarzgekleidet gehen, zum sichtbaren Zeichen, daß sie dem Manne, der immer bunt und hell angezogen ist, nicht ebenbürtig sei.

Der Dragoman fragte sie auf arabisch: «Du warst wohl beim Derwisch, weil du kein Kind bekommst?»

Mit Inbrunst und Angst in den Zügen antwortete sie: «Allah wird es geben — Allah wird es geben.»

Das war solch ein Schrei aus dem Innersten, daß wir beide, ohne ein Wort zu verstehen, die Tränen in die Augen bekamen.

Die andere sagte ganz stolz: «Ich war ihn bitten, daß Allah mir meine beiden Kinder gesund erhält.»

Es war ein tiefbewegender Eindruck.

Dieses Kloster ist weit in den Felsen des Mocatan hineingehauen und angefüllt mit Gräbern besonders verdienter Klosterbrüder.

Am Eingang der Felsenhöhle saß ein uralter, lieber Derwisch, der mich freundlich anlächelte und mir in gebrochenem Englisch sagte: «Wenig essen — alt werden — viel essen — bald sterben.»

Der scheint gemerkt zu haben, daß ich viel esse und ein Embonpoint habe.

Das war Wasser auf die Mühle meiner Frau, sie flüsterte gleich: «Siehst du, Leo, er sah gleich, daß du ein Fresser bist.»

Jetzt höre ich bei jeder Gelegenheit, wenn mir das Essen schmeckt: «Leo, denk an den Derwisch.»

Das habe ich notwendig gehabt.

Es interessierte mich, zu erfahren, wie das eigentlich mit der wunderbaren Vielweiberei ist.

Mein Reisemarschall in Assuan, ein hochgebildeter Araber, meinte, es käme höchst selten vor, daß ein Mann mehrere Frauen hat.

In der Regel ist der Bedarf schon mit einer bis zum Rande gedeckt, und dann kostet jede weitere Frau sehr viel Geld.

Auf meine Frage, wie sich denn die jungen Leute kennenlernten, da doch die Frau, wenn sie ins mannbare Alter kommt, ein dichtes, undurchdringliches Rouleau vor das Gesicht bekommt, meinte er: «Ja, das ist eine kitzlige Frage.»

In den unteren Ständen einigen sich die gegenseitigen Väter und dekretieren, der Sohn des einen hat die Tochter des anderen zu heiraten.

Der Preis wird ausgeknobelt, wird in bar ausgezahlt, und die Angelegenheit ist ritterlich ausgetragen.

Der Mann riskiert nicht viel bei so einem «Katze-im-Sack-Kauf».

Ist sie ihm zu mies und der Kaufpreis nicht allzu hoch, kann er sie am nächsten Morgen ihren Eltern zurückschicken und sagen: «Suleima, mir graut vor dir — Yalla!»

Der Sohnesvater gibt der Gegenpartei seine paar Netschen zurück und der Handel beginnt von neuem.

Ist der Jüngling ein Aviatiker, der auf die Frauen fliegt, kann er diesen Scherz ins Uferlose fortsetzen, bis sich eines Tages die zahlreichen Töchterväter zusammentun und ihn derart verdreschen, daß er nicht mehr die Spannkraft für weitere kurzfristige Heiraten aufbringt.

Bei den höheren Ständen ist das viel einfacher.

Erstens einmal ist die Emanzipation schon weit vorgeschritten, und die heutigen jungen Mädchen verschleiern sich fast gar nicht mehr, und wenn sie es tun, dann so durchsichtig, daß der Schleier alles Wissenswerte erschöpfend ahnen läßt und nur das Kokettieren fördert.

Sollte so ein wohlhabendes Mädchen dicht verschleiert sein, ist Vorsicht am Platze, denn dann ist sie mies und wird auf obigem Wege an den Mann gebracht.

Aber wie gesagt, die reichen Mädchen spielen Tennis, haben die kostbarsten Toiletten, die ihre körperlichen Reize unterstützen, und es vollzieht sich alles wie bei uns.

Wenn sie dann verheiratet sind, werden sie genau so rechtlos, wie die ärmste Moslimfrau aus den ganz niederen Schichten.

Doch nun zurück zur Nilfahrt.

Vom Schiff aus wurden Ausflüge zu den jeweiligen Tempeln gemacht.

Einen trüben Eindruck machte Memphis auf mich.

Von der Pracht dieser berühmten Stadt, in die ich so oft als der siegende Triumphator und Feldherr Rhadames in «Aida» einzog, sind nur zwei riesige, zerschlagene Ramseskolosse übriggeblieben.

Ein Palmenwald mit einigen armseligen Araberhütten, sonst nichts.

Memphis und Theben, diese Metropolen altägyptischen Glanzes, wo sind sie hin?

Nur in einigen Tempeln und Gräbern dokumentiert sich das ehemals so Prunkvolle — Erhabene.

Sand — Sand über allem, aus dem noch weitere Reste herausgebuddelt werden.

Unser Dragoman aus Kairo fehlte uns sehr.

Was hätte der uns zu sagen gehabt! —

Jahrtausende öffnen ihre Pforten, und alles stimmt einen sehr traurig, weil es die Vergänglichkeit alles Irdischen so furchtbar kraß vor Augen führt.

In Assyut, einer ziemlich großen Provinzstadt, mußten wir das Schiff wechseln, weil am Staudamm Reparaturen vorgenommen wurden, die das Schleusen der Schiffe nicht gestatteten.

Es ist eine besondere Eigentümlichkeit dieser Nildampfer, daß sie nur von Beduinen navigiert werden können.

Man hat des öfteren Versuche gemacht, englische Seeoffiziere einzusetzen, die aber ausnahmslos scheiterten.

Der Nil verändert seine Bodenstruktur oft über Nacht, und es muß stets die Fahrrinne gewechselt werden.

Die Beduinen haben in der Bestimmung dieser Fahrrinne einen sechsten Sinn — erkennen instinktiv aus der Färbung des Wassers, wo sie fahren müssen.

In Luxor hielt das Schiff zwei Tage, um alle hier aufgestapelten Herrlichkeiten, die großen Tempel von Karnak, Luxor und das Tal der Könige kennenzulernen.

Ein ungeheures Erlebnis war Karnak.

Eine riesige Tempelstadt, die Säulen in Dimensionen, die man sich nicht vorstellen kann, und wieder, wie bei den Pyramiden, das Erstaunen, daß es möglich war, diese ungeheuren Steinmassen an Ort und Stelle zu bringen.

Ein Rätsel! —

Stundenlang sind wir in den Tempeln herumgewandert.

Von Luxor weiter nach Assuan, wo die Grenze Nubiens beginnt.

Das Katarakthotel, ein Märchenbau mitten in der Wüste.

Von meinem Balkon aus sah ich den Fluß, der hier als Katarakt mit tiefschwarzen Basaltfelsen bedeckt ist, die aus dem Wasser ragen.

Drüben die Wüste Sahara in ihrer zermürbenden Unendlichkeit und hinter dem Hotel die arabische Wüste, genau so trostlos und furchterregend.

Die Neugierde trieb uns, mit dem Auto einige Kilometer in die Wüste hineinzufahren.

Kaum waren wir ein Viertelstündchen unterwegs, meinte der Reise-Ibrahim, er glaube, es wäre gut, umzukehren, es käme ein Sturm.

Selbstverständlich war ich einverstanden, denn bei Stürmen bin ich nicht vergnügungssüchtig, und in den nächsten paar Minuten war die Hölle los.

Eine undurchdringliche Wolke von Sand wälzte sich entgegen, und als sie uns erreichte, waren wir nicht imstande, die Augen zu öffnen.

Der Chauffeur gab Gas und raste heim, wo wir über und über und durch und durch mit echtem arabischem Wüstensand durchsetzt ankamen, der aus den Kleidern vier Tage nicht herausging.

Es war ein Samum, das ist derselbe Wind, in dem ich als Assad in der Oper: «Königin von Saba» umgekommen bin.

Nur war es auf dem Theater angenehmer, da hat ein Mann die Windmaschine gedreht, ein anderer mit einer Palme gewackelt, und ich konnte behaglich sterben.

Aus allen diesen meinen Schilderungen kann man entnehmen, daß ich kein Wüstenfanatiker bin, weil die Wüste sehr unangenehme Sachen an sich hat, die ich mißbillige.

Wir fuhren mit dem Auto nach Shellal an den Staudamm von Assuan, den zweitgrößten der Welt mit seinen hundertachtzig Toren, durch die man das Wasser so regulieren kann, daß es wie ein Niagarafall herausbraust oder sachte herausrieselt.

Mit dem Dampfer «Thebes» fuhren wir von Shellal nach dem Sudan.

Eine traurige Fahrt.

Rechts und links nichts als die Wüste und etappenweise die kläglichen Nubierdörfer.

Ein würdiges Volk, diese Nubier.

Wenn wir an den Ortschaften anlegten, um Tempel anzusehen, standen sie alle mit unsagbar traurigen Blicken da, ohne zu betteln.

Wohltuend empfanden wir, daß dieses widerwärtige, in die Ohren gellende «Bakschisch» und diese, wie die Kletten zudringlichen Händler fehlten, mit ihrem Bockmist, den sie beharrlich, trotz fünfzigmaliger Ablehnung immer wieder anboten.

Das ununterbrochene Angebetteltwerden, das lästige, nervenzerstörende Sich-an-die-Fersen-der-Reisenden-Heften, macht einen rasend und vergällt jeden Genuß.

Ich habe ein Mittel gebraucht, um sie wenigstens ein bissel im Zaume zu halten.

Ich schnitt ihnen Gesichter, bellte wie ein Hund, miaute und bettelte sie auch an.

Sie lachten aus vollem Halse.

Allerdings war das nur eine Stimulanz für wenige Minuten, denn sowie sie sich an das Gesichterschneiden, Bellen und Miauen gewöhnt hatten, begann das Geschrei von neuem und alles «Yalla» erwies sich als unwirksam.

In Nubien war dieser Unfug wie abgeschnitten.

Wir fuhren zwischen Felsen und Schroffen, rechts und links die Wüste, die den ganzen Weg an den Nil herankommt und nicht einen Zoll breit fruchtbar ist.

Der nächste Halteplatz war der Tempel Abu Simbel.

Das war der Höhepunkt alles dessen, was wir bisher zu sehen bekamen.

Eine Stunde vor Ankunft des Schiffes erlebten wir ein Naturereignis von großer Seltenheit — eine totale Mondfinsternis.

Zuerst schob sich eine schwarze Scheibe vor den Mond, die diesen allmählich ganz bedeckte, so daß zum Schluß nur am Rande ein dünner Lichtkreis zu sehen war.

Ein unwahrscheinlich leuchtender Sternenhimmel wölbte sich über uns.

Da sahen wir zum ersten Male das Kreuz des Südens.

Nach einigen Minuten schob sich die schwarze Scheibe langsam zur Seite und gab ein Stückchen des Mondes um das andere frei, bis sein Licht wieder voll und glänzend alles bestrahlte.

Eine ganze Stunde dauerte dieses herrliche Schauspiel.

Vor uns wuchtete ein Riesentempel mit vier ungeheuren Ramseskolossen, aus dem Felsen herausgehauen, aus einem Stück, ohne jede bauliche Zutat.

Überwältigt standen wir vor diesem Wunder bei vollem Mondschein, der das Ganze gespenstisch beleuchtete.

Vom Schiff aus konnte man die ungeheuren Dimensionen dieses größten aller Tempel, den sich Ramses II. bauen ließ, gar nicht ahnen.

Pharao Ramses muß ein sehr eitler Herr gewesen sein.

Über die Hälfte aller Tempel, Statuen und Kolosse Ägyptens hat er errichten und sich in diesen verherrlichen lassen.

Einige hundert Meter entfernt befindet sich ein kleiner Tempel mit gleichfalls aus dem Felsen gehauenen Figuren, den er seiner schönen Gattin Nefretere weihte. —

Um halb sechs morgens waren wir schon auf, um den Sonnenaufgang zu sehen.

Der große Ramsestempel hat eine so merkwürdige Lage, daß Ende Februar die Strahlen der aufgehenden Sonne bis ganz nach rückwärts ins Allerheiligste scheinen und dort die seitlichen Statuen in magisches, rötliches Licht tauchen.

Vor diesen Steinmassen, die trotz ihrer Riesenhaftigkeit proportioniert und herrlich schön wirken, kommt man sich jammervoll und winzig vor.

Was müssen das für Bildhauer, für Baumeister gewesen sein, die das geschaffen haben! —

Lange saßen wir da, allein, ohne das Gequassel des Führers, und konnten uns von diesem Zauber nicht trennen.

So muß der Tempel ausgesehen haben, in den Amneris im dritten Akt Aida vor ihrer Hochzeit mit dem Oberpriester opfern ging.

Die wunderbare Vollmondnacht, die fahlen Farben, die Schlagschatten auf den unheimlichen Gesichtern der vier Kolosse. Da sieht man erst, wie Verdi mit den zarten Pizzicati der Geigen das Kolorit getroffen hat.

Noch nie in meinem Leben war ich von etwas so beeindruckt wie von diesem, alles in den Schatten stellenden Bilde.

Mein Gott, wie schön ist doch die Welt, wie kurz ist das Leben, wie wenig kann man es genießen und wieviel haben wir versäumt!

In aller Herren Länder bin ich gewesen, mein ganzes Leben lang bin ich gereist und nichts habe ich gesehen als Eisenbahn, Hotel, Theater, Konzertsaal, Hotel und wieder Eisenbahn.

Auf alles habe ich verzichten müssen.

Aber ich will nicht undankbar sein, mich freuen, daß ich noch in aufnahmsfähiger Frische und warmem Interesse für alles das Herrliche mit meiner Frau erleben durfte.

Gegen elf Uhr mittags ging es weiter nach Wadi Halfa, dem ersten großen und wichtigen Ort im Sudan, dem Endziel unserer Reise.

Wadi Halfa ist eine von den Engländern angelegte, moderne Stadt, in lauter regelmäßige Rechtecke geteilt, mit ziemlich breiten Straßen, die es nicht gestatten, das echte, orientalische Leben in den Basaren zu entfalten.

In einer halben Stunde ist man ein geübter Wadihalfianer, und diese halbe Stunde genügt vollkommen, den Bedarf an Wadi Halfa auf Jahrzehnte hinaus zu decken.

Wir mußten zwei Tage dableiben.

Warum, war keinem von uns erfindlich.

Es gibt da ein herrliches, von der Sudan-Railway geführtes Hotel, welches in einem Wald von vier Palmen steht, die dem Hotel die Aussicht auf den Nil nehmen.

Sonst liegt es in der knalligen, alles röstenden Sonne und ist immer leer.

Als wir da waren, sollen die zwei Gäste, die das Hotel belebten, sich alleine gefürchtet haben und sind mit uns wieder weggefahren.

Der Direktor, ein Deutscher, hatte so viel Zeit, daß er diese zum Fliegenfangen benutzte und es in dieser Kunst zu solcher Höhe brachte, daß man sogar in der Wüste davon sprach. —

Am nächsten Vormittag wurde eine Motorschiffahrt zu dem zweiten Katarakt angetreten.

Der Eigenartigkeit der ganzen Landschaft wegen, der vielen schwarzen Granitfelsen, zwischen denen das Wasser herumgurgelt, und hauptsächlich der vielen Krokodile halber, die auf den Felsen schlafend liegen und erst, wenn man näher kommt und Krach macht, ins Wasser stürzen — war diese Fahrt äußerst interessant.

Fast auf jedem Felsen saß so ein scheußliches, unsympathisches Tier, von uns mit großer Neugierde photographiert und bestaunt.

Die Krokodile dürfen nicht geschossen werden, so heißt es, weil sonst die Reisenden gar nichts zu sehen bekämen.

Böswillige sagen, sie sollen von Thomas Cook & Son dahingelegt worden und ausgestopft sein.

Das ist aber eine Lüge, sie waren alle lebendig, denn ein totes Krokodil, ein ausgestopftes kann keinen Rachen aufreißen und ins Wasser rodeln, wenn es erschreckt wird.

Was man auf so einer Reise alles aufgetischt bekommt, geht auf keine Kuhhaut.

Durch alle diese Felsen fuhren wir im Zickzack zum Berge Abu Sir, einem Hügel, der eine weite, herrliche Aussicht über das ganze Kataraktgebiet gewährt.

Um auf den Berg hinaufzukommen, stehen Kamele und Esel herrlich gezäumt und farbenprächtig geschmückt da, um ihre Last hinaufzutragen.

Bei dieser Gelegenheit habe ich das erste- und bestimmt auch das letztemal ein Kamel bestiegen.

Das war so grauenhaft, daß ich es nie vergessen werde.

Schon als mich das Kamel von weitem kommen sah und ungefähr mein Gewicht abschätzte, fing es jämmerlich zu jaulen an, riß weit das Maul auf, zeigte ein paar häßliche, gelbe, vorstehende und ungepflegte Zähne, die von keinem Zahnarzt regulierbar sind.

Sechs Personen hoben mich auf das liegende Kamel in eine Mulde, die von vier Holzpflöcken umrahmt war.

Als ich endlich saß, bekam das Kamel den Befehl, sich zu erheben.

Ein markerschütternder Plärrer erfüllte die Luft, und plötzlich erhielt ich einen Stoß ins Kreuz, daß ich meinte, meine letzte Stunde habe geschlagen.

Ich fiel mit meinem ganzen Körper nach vorne und sollte über dem Halse des Tieres wieder herunterfallen, was aber die klugen sechs Sudanesen erfolgreich verhinderten.

Bei dieser Gelegenheit bohrten sich die zwei vorderen Sattelknöpfe in meinen Leib und veranlaßten mich, einen unartikulierten Schrei auszustoßen.

Die Eingeborenen schrien mit, aber vor Vergnügen, auch unsere Mitreisenden wußten sich vor Heiterkeit nicht zu fassen.

Ich wurde in Stellungen photographiert, deren Möglichkeit ich nicht für möglich hielt, und kaum hatte ich meine Besinnung erlangt, hob das Schiff der Wüste seine Vorderpratzen und derselbe Stoß wiederholte sich in umgekehrter Richtung.

Da bekam ich die beiden Sattelknöpfe wieder ins Kreuz gebohrt und hing entsetzlich hoch oben.

Man glaubt nicht, was so ein Kamel für hohe Beine hat.

Nun begann unter allgemeinem, herrlichem, aus dem Innern kommendem Gelächter der Ein- und Ausgeborenen der Ritt.

Jeder Schritt, den diese gelbe Bestie machte, war eine Qual.

Fünf bis sechs Minuten dauerte dieses böse Theater.

Ich weiß nur, daß ich es als endlos empfand.

Nun ich oben war, ließ ich mich erst in wirkungsvoller Positur photographieren, machte ein Gesicht, als ob ich auf diesem Rabenvieh mühelos die Wüste Sahara, in der sich diese Szene abspielte, durchquert hätte.

Nun kam der Abstieg.

Den zu schildern erspare ich mir, weil mir schlecht wird, wenn ich mich nur daran erinnere.

Endlich war ich unten.

Alles umringte mich und alle waren sehr vergnügt.

Daß die andern es waren — schön. —

Das sind fremde Menschen, die sich auf meine Kosten amüsierten.

Aber daß Elisabeth, mein Weggenoß, mein angetrautes Weib sich schief lachte, empfinde ich als Roheit, die ich der sonst so Guten, so Milden, so Mitleidsvollen nie vergessen werde.

Erst als ich ihr ein leises, aber um so strengeres: «Ich glaube, du hättest nun genug gelacht!!!» entgegenzischte, besann sie sich und fragte heuchlerisch, ob ich mir weh getan habe.

«Gewiß habe ich das», fauchte ich zurück.

Der Sattel ist, abgesehen von den sich in den Leib bohrenden Holzknöpfen, auch noch so breit, daß ich mir meine ganze Figur auseinandergrätschte und längere Zeit brauchte, die Beine zusammenzukriegen.

Mein Schwur hallte in die Lüfte, die Katarakte trugen ihn weiter in den Nil, der fließt ins Meer, in die Ewigkeit: «Nie wieder auf ein Kamel!»

Auf dem Abu Sir angelangt, hatten wir eine fabelhafte Aussicht, die alle kameliale Unbill vergessen ließ.

Unten in den Strudeln des Kataraktes schwammen Sudanesenjünglinge, mit aufgeblasenen Ziegenfellen umgürtet, die Strömung hinunter, inmitten der vielen Krokodile, was uns sehr aufregte.

Man informierte uns aber, daß das Krokodil im Wasser keine Kraft habe und daher vollkommen ungefährlich sei.

Also, ich nahm das zur Kenntnis, möchte aber doch nicht die Probe aufs Exempel machen wollen.

Daß das Krokodil im Wasser ungefährlich ist, weiß der Eingeborene, der Sudanese, man weiß aber nicht, ob das das Krokodil weiß.

Als wir wieder im Motorboot saßen, lachten mich alle an.

Mein Kamelritt hat mir die Herzen der Mitreisenden gewonnen, plötzlich war ich beliebt.

Einmal noch in meinem Leben möchte ich solches Gelächtertrommelfeuer erleben, wie bei diesem meinem ersten und letzten Kamelritt.

Am Abend war eine sogenannte Desert-Party, ein Wüstenausflug auf dem Programm.

Man ritt um fünf Uhr nachmittags, als die Sonne nicht mehr alles gar röstete, auf Kamelen — welch schauerlicher Gedanke — sechs Meilen, ungefähr zwölf Kilometer, in die Wüste, wo ein angeblicher Scheich die Gäste empfing, sie in sein Kamp einlud und ihnen ein Dinner servieren ließ.

Während des Essens wurden von Sudanesinnen heimatliche Tänze aufgeführt, und nachts ritt man bei Mondschein und Schakalengeheul als Geräuschkulisse wieder zu seinem Schiff zurück.

Ich habe sofort abgelehnt und in meinem vor Intelligenz strotzenden Gedankengang vorausgesehen, daß dieser Wüstenritt eine Pleite werden würde.

Man hat es mir am nächsten Morgen, verstimmt, müde und zerbrochen, bestätigt.

Dieser Scheich ist ein von Cook & Son gemieteter Heiliger, das Kamp eine von Cook & Son gestellte Angelegenheit, das Dinner hat Cook & Son vom Schiff hinbringen lassen und es wurde auf demselben Geschirr serviert, das wir auf dem Schiff hatten, nur mit dem Unterschied, daß es dort, inklusive Kamel, hundertfünfundzwanzig Piaster extra kostete.

Die heimatlichen Tänze bestanden in einem eintönigen, zum Gähnen reizenden Wiegen und Wippen des Oberkörpers, nach den Püffen, die ein männlicher Sudanese einer mit Ziegenhaut überzogenen Trommel entlockte.

Die Sudanesinnen waren schieche Trampeln, und es war saufad.

Dieses war der Bericht eines Schweizer Mitreisenden.

Der Endeffekt war: allen tat alles weh, alle hatten beim Sitzen im Kamp Angst vor Schlangen und Skorpionen, über die Thomas Cook & Sohn keine Macht hat und die einen beißen können, trotzdem es verboten ist.

Wir saßen auf Deck, sahen die Sonne untergehen und freuten uns, daß wir dieses Mal über die andern lachen konnten.

Am nächsten Morgen lichteten wir die Anker, das heißt, banden die «Thebes» vom Ufer los und fuhren nach Assuan zurück in unser herrliches Katarakthotel.

Assuan ist die größte Stadt in Oberägypten und durch einen Staudamm von Nubien getrennt.

Bei der Ankunft nahmen wir einen Einspänner, ließen uns in die Stadt fahren, in die Basare und auf den interessanten Markt.

Wir wurden allgemein bestaunt und, wie mir schien, auch belacht.

Am nächsten Morgen bat ich unsern Reisefritzen Ibrahim, wieder so einen Pferdewagen zu mieten und mit diesem das Lager der Bischarin zu besichtigen.

«Mr. Slezak, wir haben nur einen Pferdewagen in Assuan und mit dem können Sie nicht fahren», war seine Antwort.

«Warum nicht?»

Er zögerte mit der Antwort, dann sagte er verlegen: «Wenn ich vier Kilometer Weg vor mir habe und der Wagen steht da, so gehe ich zu Fuß, denn mit diesem Wagen kann man nicht fahren.»

Als ich in ihn drang, sagte er endlich: «Dieser Wagen ist nur dazu da, die Dirnen aus dem Freudenviertel Reklame zu fahren, und kann von keinem anständigen Menschen benutzt werden.»

Ich erzählte ihm, daß ich drei Stunden mit diesem Gefährt die Stadt besehen habe und meine arme Frau alleine drinnen sitzen ließ, während ich photographierte.

Er war entsetzt.

Nun erklärten wir uns auch die große Heiterkeit und das sichtliche Interesse, das wir in diesem geächteten Vehikel beim Volk von Assuan auslösten.

Meine Liesi errötete tief und lispelte sanft und vorwurfsvoll: «Was du für Sachen machst — Leo! —»

Ein berühmter Ausflug ist der Besuch bei den Bischarin.

Das sind Beduinen, die in der Wüste leben, ihr Lager in der Totenstadt von Assuan aufgeschlagen haben und die Besucher schwer zum besten halten.

Wenn die Fremden nur in die Nähe kommen, stürzen sie aus ihren Verliesen heraus und schreien vorerst einmal und für alle Fälle: «Bakschisch.»

Dann kommt der Häuptling und begrüßt uns auf Wüstenart, indem er die Hand hinhält, in die man einige Kupfermünzen hineinlegt.

Damit ist die Verbindung hergestellt und er jagt vor allem die vielen Kinder weg, indem er mit einem langen, hierzu prädestinierten Stock in diese hineindrischt.

Nun kommen die originellen Typen aus ihren Höhlen heraus.

Sie werden photographiert.

Für jedesmal knipsen hat man seinen Obulus zu entrichten.

Sie sind alle zum Photographieren hergerichtet, haben lange Haare, die in hundert kleinen Zöpfchen geflochten sind und wie Spagatschnüre herunterhängen.

In diesen stecken Pfeile und Kämme, und jeder hat seinen zoologischen Garten darin. —

Der eine trägt ein langes Schwert, der andere Pfeil und Bogen, sie gebärden sich sehr wild und machen stark auf gefährlich.

Nun wollten sie uns den wilden Kriegertanz der Bischarin vorführen, was ich aber auf das strikteste ablehnte, weil diese Kriegertänze ein eingelerntes Theater, ein ödes Herumgehopse, mit vielem Zwischengrölen untermalt und nur für besonders harmlose Besucher bestimmt sind.

Regiegemäß kam dann der Oberbischarin zum Wagen, der uns wieder auf die bereits erwähnte Wüstenart begrüßte.

Man sah noch sehr viel Schmutz und Unrat, dachte darüber nach, was wohl in diesen langen Haaren für ein Leben herrschen müsse. —

Nach kurzer Zeit fuhr man wieder weg, begleitet von dem Bakschischgeschrei der Kinder, die einen verfolgten.

Die Hauptsache ist, man kann sagen, man war bei den Bischarin in der Wüste.

Die Tage in Assuan schlichen langsam dahin, nur am Vormittag war es auf dem Balkon des Hotels, der bis zum Mittag im Schatten lag, erträglich.

Wenn die Sonne kam, wußte man nichts mit sich anzufangen.

In der Hotelhalle unter den fremden, aufgeputzten Menschen zu sitzen, war mir unangenehm, in die Stadt zu gehen und sich in ein Café zu setzen, ist unmöglich, weil es für einen Europäer so etwas nicht gibt, also blieb nichts anderes übrig, als in seinem verfinsterten Zimmer zu bleiben, sich bar jeder Hülle auf den Steinfußboden zu legen und den Abend abzuwarten.

Unser Kellner war ein Deutscher, ein Schwäble.

Er war aus Stuagat, wo das Kunschtgebeide ischt, und informierte uns beim Essen über alles Assuanische.

Er servierte uns Kopfsalat, da sagte meine Frau, den müsse er gleich wieder mitnehmen, weil man am Nil nichts essen soll, was eventuell mit ungekochtem Wasser zubereitet sein könnte, wegen der Typhusgefahr.

Da meinte er treuherzig: «Ach dös ischt net so schlimm, im Vorjahr sind fünf Gäste an Typhus erkrankt, drei sind geschtorwe, aber zwei sind wieder ganz gsund worde.»

Dann brachte er uns beim Mittagessen ein Marmeladenglas, in dem in Spiritus drei scheußliche Skorpione eingeweckt waren, die er soeben im Garten gefangen hatte.

Uns wurde schlecht, und wir hörten auf zu essen. —

Die Rückreise auf dem Nildampfer war wieder sehr abwechslungsreich, nur ein wenig zu lange.

So kamen wir langsam, aber sicher nach Kairo, wo wir noch sechs Tage blieben und alles besuchten, was wir am Hinweg noch nicht gesehen hatten.

Vor allem die El-Asra-Moschee, die Universität der Mohammedaner.

Ein ehrwürdiger, tausend Jahre alter Bau, nicht so gigantisch und
prunkvoll wie viele andere Moscheen, aber seines Zweckes wegen
hochinteressant.

Zum Abschluß waren wir noch in der El-Riffai-Moschee, die die
Gräber der königlichen Familie birgt und einen Prunk und Glanz
aufweist, dem man ganz benommen gegenübersteht.

In ihren Dimensionen phantastisch und, namentlich im Kuppel-
bau, einzig dastehend.

Ganz rückwärts, hinter Holzgittern, ist der Platz für die Frauen,
die dem Gottesdienst beiwohnen, so abseits gelegen, daß sie weder
die Kibba, die heilige Nische, noch die Mimbar, die Kanzel, sehen
können.

Sogar die Königin und die königlichen Prinzessinnen müssen mit
diesem so wenig bevorzugten Platz vorlieb nehmen.

In allem und jedem sieht man: die Frau ist nichts, alles ist der
Mann.

Er ist der Herr. —

Wir hatten auch Gelegenheit, eine arabische Hochzeit kennenzulernen.

Das Haus des Bräutigams war mit Glaskugeln und Papierrosen
geschmückt, und quer über die Straße war eine Pforte aus grünem
Laub aufgerichtet, um die Braut zu empfangen.

Der Hochzeitszug kündigte sich mit viel Lärm und Geschrei an,
das sich mit den Klängen eines Orchesters mischte.

Dieses bestand aus drei Mann, einem Trompeter, einer großen
Trommel und einem Jüngling, der planlos zwei Tschinellen auf-
einanderschlug, ohne alle Gewissensbisse oder Rücksichtnahme
auf die musikalische Phrase.

Die Melodie bestand aus vier bis fünf sich immer wiederholenden
Takten, die uns in ihrer Eintönigkeit zum Rasen brachten.

An der Spitze des Zuges gingen, rechts und links, einige Freunde
des Bräutigams, dann folgte das sogenannte Orchester, anschlie-
ßend eine Schar von Kindern, die Papierblumen trugen, kreischten
und quietschten, und zwei Mädchen mit Kerzen, die mit Orangen-
blüten umwunden waren.

Alle waren sie schmierig, ungekämmt, mit zerzausten Haaren und
verwahrlost.

Nun kamen einige alte Weiber mit Körben voll Obst und Ge-
müse auf den Köpfen, alle tief verschleiert.

Zum Schlusse fuhr ein furchtbar devastiertes Taxi, in dem die
Braut vollständig eingemummt saß.

Als ich Anstalten traf, den Zug zu photographieren, hörte der

Flügelhornist zu blasen auf, stürzte auf mich zu und schrie das unvermeidliche «Bakschisch».

Seine Kollegen, die Trommeln und Tschinellen, bestritten nun allein, ohne Melodie, die musikalische Angelegenheit.

Aber nicht lange, denn wie sie sahen, daß ich dem Hornisten einen Piaster gab, hörten sie auf zu musizieren, umringten mich und schnorrten auch.

So löste sich der ganze Brautzug auf und schrie das nervenzerreißende Bakschisch. Ich wartete nur noch darauf, daß auch die Braut ihrem zerbrochenen Taxi entsteigen und sich an dieser Bettelei beteiligen werde.

Rasch hüpfte ich in meinen Wagen und fuhr unter dem Gejohle der Menge davon.

Das Heiraten geschieht bei den Arabern ohne jene Trauungszeremonie, die Braut wird einfach aus ihrem Elternhaus geholt, und in dem Moment, wo sie das Haus des Bräutigams betritt, ist sie seine Frau — seine Sklavin. —

Sehr interessant sind die Schlangenbeschwörer und Schlangensucher.

In Luxor ist ein sehr berühmter Mann auf dem Gebiete des Schlangensuchens.

Er geht zum Beispiel mit einer Gesellschaft ins Tempelgelände von Luxor oder Karnak, greift unter eine Steinplatte und zieht eine Kobra heraus.

Ebenso zieht er mit nackten Händen aus allen Ritzen Skorpione hervor, ohne daß er von diesen schrecklichen Viechern gebissen wird.

Er sagte, er dürfe nie eine Schlange oder einen Skorpion töten, weil er sonst die Macht über die Tiere verlieren würde.

Das besorgt sein Bruder.

Jedenfalls bin ich dem Mann um seinen Beruf nicht neidisch und freue mich, daß ich mir mein Brot auf weniger gefährliche Weise verdienen kann. —

Nun war die Zeit um, das Märchen aus «Tausendundeiner Nacht», der schöne Traum zu Ende geträumt, es kam die Abreise.

Die «Esperia» harrte unser im Hafen von Alexandrien, lichtete die Anker, die Einsteigebrücke wurde weggenommen, drei Sirenenstöße, das Schiff löste sich vom Ufer, die Musik spielte die «Giovinezza».

Wir kamen in Fahrt, immer kleiner wurde alles, und bald war nichts mehr da als Himmel und Meer.

Wir lagen auf unseren Liegestühlen und konnten es nicht fassen, daß wir das alles erlebt haben, was hinter uns lag.

Nach drei Tagen kam Syrakus, dann Neapel und Rom.

In Bologna schon lag hoher Schnee, es war eisig kalt, tiefer Winter.

Daheim in Wien angekommen, wollte ich all die Medizinen, die wir mitgenommen hatten, dem Apotheker zurückgeben, weil es zu Hause weder Skorpione noch giftige Kobraschlangen gibt, aber er lehnte es ab mit der Begründung, daß verkaufte Medizinen nicht mehr zurückgenommen werden.

Das hat mich geärgert.

NOTRUF

Am 17. August 1937 wurde ich in Egern von der Wiener Kriminal-
polizei angerufen, die mir mitteilte, daß man bei mir in der Wohnung eingebrochen habe.

Ich solle so schnell wie möglich nach Wien kommen und dort zu
Protokoll geben, was mir alles gestohlen wurde.

In einer Stunde saß ich mit meiner Frau im Auto und war am
Abend in Wien.

Wir fanden die Wohnungstüre erbrochen und im Herrenzimmer
ein Bild der Verwüstung.

Die eiserne Kasse war aufgeschweißt, die Eingeweide des Pan-
zers lagen bloß, ein unbeschreibliches Durcheinander, alle Papiere
und Dokumente auf dem Fußboden und die Schmucketuis leer.

Nichts haben sie mir gelassen, alles, war nur ein wenig glänzte,
war weg.

Die lieben Andenken, die man sich im Laufe der Zeit bei verschiedenen Anlässen schenkte, die Kleinigkeiten der Kinder, Tauftaler,
Kettchen und Amulette, lauter an sich wertlose Sachen, alles war
fort.

Sogar meine Orden haben sie sich genommen.

Da sich Einbrecher keine Komturkreuze umhängen können und
diese nur aus Messing und etwas Email waren, ist mir dies unver-
ständlich.

Zuerst waren wir sehr traurig, aber schließlich trösteten wir uns
mit dem Gedanken, daß dieser Verlust vielleicht ein Ring des Poly-
krates ist, der anderes, schwereres Unheil von uns abwendet.

Im Schlafzimmer waren die Wäschekasten erbrochen, alle Wä-
sche lag verstreut auf der Erde, aber da fehlte nichts, sie hatten die
Wäsche nur benützt, um sich die Hände einzubinden, damit ihre
Fingerabdrücke nicht zum Verräter wurden.

Die Polizei war stundenlang da, untersuchte jedes Stück auf die
erwähnten Fingerabdrücke, nahm Protokolle auf, und erst als alles
schriftlich festgelegt war, durfte man mit dem Ordnungmachen beginnen, das Chaos lösen.

Am Morgen des Einbruchs wurde ein Mann festgestellt, der ver-
dächtig war und durch den dann eine ganze Kette von weiteren Ver-
haftungen bewirkt wurde.

Wir trösteten uns schnell, und nachdem wir noch die Versicherungsgesellschaft, Zeitungsinterviewer und weitere Besuche der Polizei hinter uns hatten, setzten wir uns fröhlich in den Wagen und fuhren in unsere Berge, wo es keine Sünde gibt — nach Egern.

Bei meiner Rückkehr im Herbst gab es wieder Einvernehmungen bei dem Untersuchungsrichter, der mir den Rat gab, zu den Verhafteten ins Gefängnis zu gehen und ihnen ins Gewissen zu reden, weil sie den Abräumungsbesuch bei mir hartnäckig leugneten.

Ich wurde im Gefängnis in ein kahles Sprechzimmer geführt, und bald kam eine ganze Reihe von Herren aufmarschiert, die mich herzlich in ihren Räumen willkommen hießen.

Ich hielt eine leutselige Ansprache an sie: «Meine Herren, die wertvollen Sachen sollen Sie behalten, ich kann es verstehen, daß man so etwas nicht gerne wieder hergibt, aber die Andenken, die für keinen Menschen einen Wert haben, geben Sie mir doch wieder.

Sie würden mir damit eine große Freude machen.»

Da legten sie alle die Hand aufs Herz und versicherten mit treuherzigem Augenaufschlag: «Aber Herr Kammersänger, wir werden doch nicht zu Ihnen gehen und Ihnen etwas wegnehmen, wo wir Ihnen doch so verehren.

Wir haben uns im Kino über Sie schiefgelacht, dann haben wir auch Grammophonplatten von Ihnen, die wir immer spielen lassen, da werden wir dieses doch nicht machen, da gehen wir ja lieber zu wem andern.»

Mein Hineinreden in diese Gaunergesellschaft war ganz ohne jeden Erfolg, ich mußte mich endgültig damit abfinden.

Dann gab es noch endlose Gerichtsverhandlungen, bei denen mir ein ganzes Arsenal gestohlener Sachen vorgeführt wurde.

Es war nichts dabei, was mir gehörte.

Ich war froh, als alles zu Ende war und ich wieder meine Ruhe hatte.

Gleich nach dem Einbruch kam der Direktor der Notrufgesellschaft zu mir und schilderte mir in leuchtenden Farben, wie durch den Notruf alles gesichert sei, und empfahl mir, diesen einbauen zu lassen.

Trotzdem ich schon ratzekahl ausgeraubt war und nichts mehr Raubenswertes besaß, ließ ich mich überreden.

Tagelang wurde gearbeitet, Drähte wurden gelegt, Mauern aufgestemmt, alle Möbel weggerückt, elektrisch angeschlossen und eine große Schweinerei getätigt.

In einem kleinen Raum baute man einen Stahlkasten ein, der die ganze Maschinerie enthielt.

Beim Einschalten des Notrufes mußten alle Türen gut geschlossen sein, weil dieser sonst nicht funktionierte.

Vieles war zu beobachten.

Warnungen über Warnungen wurden erteilt, um Katastrophen zu vermeiden, daß einem ganz elend wurde.

Ja keine Türe öffnen, wenn der Notruf schon eingeschaltet ist, weil sonst die außerhalb der Wohnung angebrachte Sirene zu heulen beginnt, die so laut ist, daß man annimmt, ein großer Ozeandampfer fährt in den Hafen von Hamburg ein und gibt Signal.

Wenn man das Geringste übersieht, kann es einem passieren, daß auf der Ringstraße die Sirene losheult, das Überfallkommando angerast kommt und mich in meiner eigenen Wohnung als Einbrecher verhaftet.

Da nur ich diesen Mechanismus bedienen konnte, weil ich in der ganzen Familie der am üppigsten mit Intelligenz Begnadete bin, fiel mir bei einer Abreise immer die ganze Verantwortung, der konzentrierte Ärger zu, und jedes Wegfahren gestaltete sich zu einer hochdramatischen Szene.

In dem kleinen Raum, in dem der ganze Zauber eingebaut ist, mußte ein weißes Blättchen aufscheinen, wenn ein Gewicht aufgelegt wurde.

Ein Zeichen, daß der Notruf in Tätigkeit war.

Das Gewicht wurde aufgelegt, aber es kam kein weißes Blättchen. Also irgendwo ein Fehler.

Man ging in die Wohnung zurück, untersuchte alle Türen, sperrte wieder ab, versuchte dieses und jenes, kehrte zu dem kleinen Raum zurück, kochend vor Wut und Nervosität, legte das Gewicht abermals auf — kein weißes Blättchen.

Man schnellte zum Telephon, rief höchst erregt die Notrufgesellschaft an, es solle sofort jemand kommen und nachsehen, was da los ist. «Es ist kein Monteur da, vielleicht kommt einer gegen Mittag», beruhigte das Notruffräulein. Also die Reise verschieben.

Man fluchte das Blaue vom Himmel herunter, aber man konnte doch nicht die Wohnung ungesichert lassen, wozu hatte man denn den teuren Notruf.

Endlich um zwei Uhr kam der Monteur und stellte einen Kontaktfehler fest, nachdem er eine Stunde gesucht hatte.

Dieses Theater wiederholte sich bei jeder Reise, bis ich mich entschloß, ohne Notruf wegzufahren. Der Effekt war derselbe.

Bei mir hat niemand mehr eingebrochen.

Es scheint sich unter den Herren Räubern doch herumgesprochen zu haben, daß bei mir nichts mehr zu holen ist.

Als ich im Mai 1938 nach Berlin übersiedelte, ließ ich ruhig den Notruf in der Wohnung zurück, in der Hoffnung, der tadelnswerten Hoffnung, daß mein Wohnungsnachfolger denselben Ärger haben wird, der mir beschieden war.

Nie wieder Notruf — lieber Einbruch.

VATERSORGEN

Das ist das rechte Thema für einen Vater, der so gar nicht mitkann, der zusehen muß, wie die Kinder alles ganz anders machen, als man es selber getan hat oder wie man es sich in seinen zurückgebliebenen Ansichten vorstellt.

Einer Henne ist man zu vergleichen, die Enten ausgebrütet hat und ihr diese beim ersten Ausflug in den Teich wegschwimmen, während die Alte verzweifelt und voller Angst am Ufer hin und her rennt.

Freilich, über die Freuden und Vergnügungen der heutigen Jugend kann ich nicht mitreden, weil mir der Vergleich von damals fehlt.

Aus dem trübseligsten Grau in Grau kam ich zum Theater und wurde plötzlich in ein Meer von Arbeit, allerdings herrlicher Arbeit, gestellt, so daß die Vergnügungen in meinem Leben wenig Platz fanden.

Eine Reise, die ich mir zusammensparte und in primitivster, ganz notdürftiger, aber darum nicht weniger beglückender Form machen konnte, war der Höhepunkt der Lebensfreude.

Getanzt habe ich nie, versuchte ich es, ging dies immer Hand in Hand mit Körperverletzungen, die ich meinen Tänzerinnen zufügte, weil es mir an der nötigen Zartheit und chevaleresken Grazie gebrach.

Mein Sohn hatte so ganz andere, für meinen Geschmack kraß unrichtige Anschauungen über das Leben und die Einstellung zu diesem.

Auf irgendwelche Einwendungen streichelte er mir mitleidig das Haupt, fand mich total veraltet und nicht mit der Zeit mitgehend.

Schwer, sehr schwer war der ewige Kampf in der Schule.

Der trauliche Knabe hatte meine Abneigung gegen diese geerbt.

Wenn ich ihn ins Gebet nahm, ihm in den glühendsten Farben die Annehmlichkeiten eines wunderbaren Schülers, im Gegensatz zu dem Betrüblichen eines schlechten Lerners veranschaulichte, meinte er, das könne nicht mein Ernst sein, denn er habe in meinem Buche gelesen, daß ich elf Jahre in die erste Klasse gegangen bin und mit Glanz aus der Realschule hinausgeschmissen wurde.

Er habe auch alle meine wilden Sachen in der Schule ausprobiert

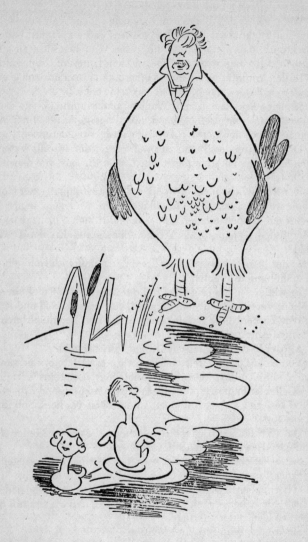

Einer Henne ist man zu vergleichen, die Enten ausgebrütet hat

und sich damit die rückhaltlose Anerkennung seiner Mitschüler erworben.

Hauptsächlich, weil er alles ohne Quellenangabe durchführte.

Ich zersprang täglich und brodelte vor Wut.

Wenn ich an den Verkehr mit meinem seligen Vater denke und mir den Effekt ausmale, den so eine Ansprache ausgelöst hätte, so fürchte ich, daß mein Antlitz die vielen Watschen nicht zu fassen imstande gewesen wäre, die ich von dem Guten erhalten hätte.

In der Autorität zu meinen Kindern kann ich mich ruhig einen modernen Vater nennen, weil ich gar keine habe.

Ich habe kein Talent zum Wauwau und brauche infolge meiner Unvollkommenheit selber einen, allerdings innig geliebten Wauwau, der mich ununterbrochen, wenn auch erfolglos, erzieht.

Die verwirrenden Pfade zu beschreiben, die ich als Vater zu wandeln hatte, bin ich außerstande, weil mich sonst von neuem die Galle frißt.

Der Knabe bekam, als er wohlbestallter Lehrling in einer kleinen Bank war, um dort die Grundlagen zum Bemogeln seiner Mitmenschen kennenzulernen und allmählich zum Finanzgenie emporzureifen, von mir jede Woche zehntausend Kronen Taschengeld.

In der Bank bekam er nichts bezahlt, da mußte ich froh sein, daß man ihn umsonst behielt.

Er wirke, wie mir sein Chef mit der Miene eines Gefolterten zustöhnte, zersetzend auf sein Personal, verwechselte Soll und Haben in den Büchern und verwirrte die weiblichen Beamten durch unzüchtige Anträge.

Also, er bekam zehntausend Kronen Taschengeld.

Von einer Gastspielreise heimgekehrt, erwartete er mich an der Bahn, küßte mich strahlend und raunte mir beseligt ins Ohr:

«Geliebter Papa, ich pfeife dir auf deine zehntausend Kronen, ich habe gestern zwanzig Millionen an der Börse verdient. Soll ich dir etwas vorstrecken? —»

Das war die Zeit nach dem Weltkriege, die unsere Kinder erzog, und wir Alten mußten machtlos zusehen.

Seine Tätigkeit in der Bank war auch sehr besorgniserregend.

Eines Tages rief ihn sein Chef zu sich und sagte leutselig:

«Hier, lieber Slezak, haben Sie einen falschen Hundertdollarschein, Sie haben ‹savoir vivre›, schaun Sie, daß Sie ihn mit anregendem Geplauder anbringen.

Sie kriegen zehn Prozent Provision.»

In zehn Minuten hatte er den Hunderter an den Mann gebracht.

Das war damals die Grundlage, die Basis seiner kaufmännischen Ausbildung.

Als ich ihm darob Vorhaltungen machte und meinte, daß dies ja eine Gemeinheit sei, lächelte er nachsichtig:

«Lieber Papa, mit solchen veralteten Anschauungen wirst du nie auf ein grünes Resultat kommen.»

Zum Glück hat diese Ausbildung zum Finanzier nicht lange gedauert.

Eines Tages macht er mir die Eröffnung, er gehe zum Film, man habe ihn für eine Hauptrolle in dem Film: «Sodom und Gomorrha» engagiert.

Ein neuer Kummer für mich.

Ich wehrte mich vergeblich, setzte es aber doch durch, daß er nach Beendigung des Filmes von meinem Freunde, dem Intendanten von Chemnitz, als Schauspieler engagiert wurde.

Auch ohne Gage, aber mit dem Versprechen, daß er ihn tüchtig herannehmen und wie seinen eigenen Sohn im Auge behalten werde.

Er bekam verschiedene kleine Rollen.

Einmal hatte er in einem todernsten Stück einen Kriminalkommissar zu spielen.

Vor dem Auftreten versteckte er sich und trat erst im letzten Moment auf die Szene, in einer Maske, daß die Leute vor Lachen aufschrien.

Er hatte sich eine unmögliche Nase geklebt, einen langen Vollbart an einem Gummiband umgehängt und diesen Bart beim Reden immer hinuntergezogen.

Er schmiß das ganze Stück.

Einige Tage später bekam ich ein Telegramm:

Walter gottlob durchgebrannt — stop — unbekannt wohin — stop — alle Erziehungsversuche gescheitert — stop — Erlösung für mein Institut — stop — herzlichst Intendant.

Von Berlin bekam ich dann einen Brief, in dem mir mein Herr Sohn mitteilte, er sei Filmstar bei der Ufa, und ich solle mir keine Sorgen machen.

Er mache es schon richtig.

Damals war er siebzehn Jahre alt und hat sich von diesem Zeitpunkt an selbst erhalten.

Er bekam gute Gagen und war immer ohne Geld.

Als ich einmal einen Pumpbrief bekam, in dem er, trotz seiner ziemlich hohen Einnahmen, um 600 Mark bat, schrieb ich ihm zurück, daß er wohl 600 Ohrfeigen, aber nicht eine Mark bekommen könne.

Acht Tage war er beleidigt, dann schrieb er mir, daß er mir verzeiht.

Einige Wochen später traf ich zu einem Gastspiel in Berlin ein.

Er erwartete mich an der Bahn, nahm mich um den Hals und war selig.

Ich fragte ihn besorgt: «Walter, wie stehst du finanziell?»

«Großartig, Papa, ich kann dir einen Scheck auf jeden Betrag herausschreiben, selbstverständlich ist der Scheck nicht gedeckt.»

Aber gottlob, es ist alles richtig und er ein tüchtiger braver Junge geworden, bekam einen Vertrag nach Amerika und ist jetzt wohlbestallter Broadwaystar in Neuyork.

So hat die Jugend doch recht behalten.

Der Briefwechsel zwischen mir und meinen Kindern ist auf herzlicher Respektlosigkeit aufgebaut und wirkt auf Außenstehende befremdend.

Er enträt jedes Mindestmaßes von Ehrfurcht, ist aber, trotz seiner Eigenart, von einer Innigkeit getragen, daß ich ihn nicht anders haben möchte.

Ich habe immer Wert darauf gelegt, meinen Kindern mehr ein Freund, denn ein strenger Vater zu sein, und das findet seinen Niederschlag darin, daß sie mich liebhaben.

An ihrer Mutter, dem Inhalt unseres Lebens, hängen sie in abgöttischer Liebe.

Wie eine Heilige waltete sie ihres Amtes als Mami, und hat sich auch als Großmutti das volle Vertrauen unseres Enkelkindes erworben.

Na, und von mir will ich gar nicht reden, mir wurde sie in den vierzig Jahren, die wir vereint sind, direkt sympathisch.

Sie ist das Inkarnat der Vollkommenheit.

Wir — die andern, weisen alle krasse Fehler auf, und das wissend, sind wir auch ununterbrochen fröhlich zerknirscht.

Sie ist unser Schutzengel, die gütige Mahnerin, und belehrt uns, was man alles nicht machen darf.

In meinem Opernberuf war sie das gute Gewissen, duldete keine Bummelei, kein Erlahmen in der täglichen Arbeit, und beobachtete jeden Atemzug.

Punkt neun Uhr morgens kam der Kapellmeister zum Studium, jeden Tag, ausnahmslos.

Diese Stunde war heilig, kein Ereignis in der Hauswirtschaft war so wichtig, daß es in der Arbeitsstunde ins Musikzimmer hätte dringen dürfen.

Jede Phrase, jedes Wort in meinem herrlichen Beruf haben wir zusammen beraten, und alles, was ich in meinem Leben erreicht habe, ist zum überwiegenden Teile ihr Verdienst.

Dankbar stelle ich das hier fest, damit es auch die andern wissen.

Sie wird es erst lesen, wenn das Buch erschienen ist, und schwer beleidigt sein, nicht nur, weil ich sie, wie sie sagen wird, über Gebühr lobe, sondern weil ich Heimlichkeiten vor ihr habe und etwas schreibe, das nicht durch ihre Zensur gegangen ist.

Aber sie wird mir verzeihen, und ich habe mir meine Dankbarkeit von der Seele geschrieben.

Nun zu dem Briefwechsel, der ein ziemlich reger ist, namentlich von meiner Seite.

Ich schreibe fast täglich an eines meiner Kinder, aber auf fünf bis sechs Vaterbriefe kommt immer nur ein Kinderbrief.

Manchmal mußte ich, wenn die Nachrichten gar zu spärlich flossen, zu Brachialmitteln, wie völliges Verstoßen, greifen, um besonders von ihm Post zu bekommen.

Greterl ist brav und schreibt fleißig.

Auch mit Enterben und aufs Pflichtteil setzen habe ich gedroht, was aber scheinbar nie ernst genommen wurde, wie ungefähr der erste Brief illustriert.

Geliebter, impulsiver Vater — würdiger Greis!

Warum gibst Du mir auf meine drei, auf der Post verlorengegangenen Briefe keine Antwort?

Warum vernachlässigst Du Dein armes Kind in der Ferne?

Es geht mir wunderbar, ich arbeite fleißig, unsere Show soll schon am 16. starten, und zwar in Boston.

Dort wird das Stück ausprobiert, bevor wir auf den Broadway gehen.

Es ist jetzt eine große Schinderei, aber wenn die Angelegenheit einmal läuft und, so Gott will, einschlägt, habe ich ein Jahr meine Ruhe.

Dann schreibe ich zweimal täglich.

Deine herzlose Drohung, mich zu verstoßen, hat Mami sicher nicht gelesen, denn sonst hätte sie Dir nie erlaubt, diesen Brief an Deinen lieben Walter abzusenden.

Vater! —

Du bist so kriegerisch, so kampfesfroh! —

Da ich, wie auch Du, unvollkommen bin, will ich über diese väterliche Entgleisung hinwegblicken und dich weiter liebhaben, allerdings unter der Voraussetzung, daß mir das nicht wieder vorkommt.

Unserer Wundermami tausend Bussi, habe fürchterliche Sehnsucht.

In inniger Liebe, Dein Dir verzeihender Steckling

Walter.

P. S. Wie ist die Kur in Gräfenberg?

Wenn die Show heraußen ist, werde ich wieder fleißig malen.

Der Umstand, daß ich vollschlank bin, schafft Leiden,
von denen du Frechling keine Ahnung hast

Mein geliebter, aber unverschämter Sohn!

Du frägst mich, mein Kind, warum ich Dir auf Deine drei, auf der Post verlorengegangenen Briefe nicht geantwortet habe, und nennst mich bei dieser Gelegenheit einen würdigen Greis.

Du weißt, Du Lausbube, daß dieser Spaß mit den auf der Post verlorengegangenen Briefen bereits unzählige Male von mir gemacht wurde und kein Aas mehr darüber lacht.

Für alle Fälle ersuche ich Dich, in Zukunft bei solchen alten Scherzen wenigstens um Quellenangabe.

Du Plagiator.

Indem ich Dein Gesicht mit Ohrfeigen bedecke, schreibe ich Dir dennoch, um Dir zu schildern, wie Dein bejahrter Vater leidet, und welch trauriges Leben er führt.

Also wir sind im Prießnitzsanatorium in Gräfenberg.

Ich habe das Sanatorium humorvoll und treffend Frißnixsanatorium genannt.

Ich will Dir gestehen, daß ich mich da mit fremden Federn schmücke, der Name «Frißnix» ist schon jahrzehntelange Überlieferung, und nicht von mir.

Der Umstand, daß ich vollschlank bin, schafft Leiden, von denen Du Frechling keine Ahnung hast.

Ich hungere.

Hungere wirklich, und jede Regung, zum Greißler zu gehen und diesen Zustand zu mildern, wird von Deiner Mutter im Keime erstickt, denn sie geht mir nicht von der Falte.

Doch vorerst will ich Dir alles Milieuartige schildern, um dann auf die Kur, und damit auf den Kern meiner Qualen überzugehen.

Es ist sehr schön hier, wir haben ein angenehmes Zimmer mit einem Riesenbalkon, alles ist gut und freundlich zu mir, aber es wird gebaut.

Nicht im landläufigen Sinne, sondern es wird auf Fels gebaut.

Jeden Augenblick wird gesprengt, mit Dynamit und Ekrasit.

Da kracht und knallt es, wie im Krieg.

Man erschrickt immer so schön und sieht interessiert nach, wer gewonnen hat.

Wir erschrecken auch, wenn nicht geschossen wird, und fahren ohne Grund zusammen.

Man hält uns für Soloveitstänzer.

Ferner gibt es Schotterverkleinerungsmaschinen, die kreischen und heulen, daß man aus Nervosität die Mauern emporklimmen und zum Fassadenkletterer werden möchte.

Alles das ist aber nichts im Vergleich zu den zahllosen Schubkarren, die derart pfeifen und stöhnen, daß man sich am liebsten in sein Schwert stürzen möchte.

Aus diesem Grunde wirst Du in dem ganzen Sanatorium nicht ein einziges Schwert finden.

Ich ging hinunter und bat alle zweiundvierzig Schubkarrenlenker inständigst, sie mögen doch die Räder mit Öl einschmieren, und bestach sie mit Geld.

Umsonst. Sie pfeifen weiter, und all der Mammon, den ich investierte, war verloren.

Aber im nächsten Jahre, wenn der Bau prächtig, wie Walhall, dasteht, wird es herrlich.

Ich komme nie wieder.

Erst hat man mich vor einen Schirm gestellt und durchleuchtet.

Aus der Röntgenaufnahme entnahm man, daß ich zu dick bin und abnehmen muß.

Das hat man vorher noch nicht gewußt.

Hernach hat man mir einen Gummipatzen in den Mund gesteckt, vor dem mir ungewöhnlich grauste.

Die Versicherung des Arztes, daß er ausgekocht sei, hat an diesem scheußlichen Gefühl nichts geändert.

An oben erwähnten Gummipatzen wurde ein Schlauch gesteckt und ich mußte Sauerstoff einatmen.

Das nennt man, wissenschaftlich: Bestimmung des Grundumsatzes.

Dieser Grundumsatz bestimmte, daß ich nichts zu essen kriege.

Meine Tageseinteilung ist sehr interessant und aufreibend.

Um fünf Uhr morgens werde ich von einem unfreundlichen Manne in ein nasses Leintuch gewickelt und noch in drei Filzdecken gerollt, wie ein Apfelstrudel.

Wenn sich eine Fliege auf mein Gesicht setzte, mußte ich um Hilfe rufen.

Ein Wassermann kam, sie wegzujagen.

Du ahnst nicht, mein Kind, wie klug so eine Fliege sein kann. Wenn der Wasserspezialist kommt, fliegt sie weg, geht er fort, kommt sie wieder, setzt sich auf die Nase und kitzelt.

Zum Verrücktwerden.

So muß ich eine Stunde liegen, und man rät mir, zu schlummern.

Wenn ich nicht schlummere, ist es dasselbe.

Dann wird man ins Halbbad geführt, in eine Wanne gesetzt und von dem oben erwähnten Hydrauliker mit einer Bürste frottiert.

Zum Schluß geht man auf die Waage und hat ein halbes Kilo zugenommen.

Nach dieser beglückenden Feststellung gehe ich in meine Kemenate, ziehe mich so wunderschön an, daß die Leute bei meinem Anblick, wie der Chor im Lohengrin, voll Bewunderung ausrufen: Seht, wie schön er ist.

Nach dem Frühstück wird Tennis gespielt.

Beim Tennisspiel gibt es immer viele Zuschauer, die sich Äste lachen.

Ich werde viel photographiert, was sehr unerfreulich ist, weil man mit Erstaunen feststellen kann, wie entsetzlich man in verschiedenen Augenblicken auszusehen vermag.

Diese Bilder werden im Ort beim Friseur verkauft und mir zur Unterschrift vorgelegt.

Sie rauben Deinem Vater als Tragöden jeden Nimbus.

Geliebter Sohn, dann muß ich rennen.

Von einer Quelle zur andern, die alle im weiten, dunklen Walde verstreut liegen und die man nur durch hochtouristische Leistungen erreichen kann.

Man nennt das: Spazierengehen.

Wenn man bei so einer Quelle angelangt ist, muß man diesen Eselsweg wieder zurückschlurfen.

Mir hängen sämtliche Quellen zum Halse heraus.

Ferner, o Knabe, ist eine Bergkoppe da, um die muß ich auch herumrasen.

Kaum sitze ich einen Augenblick und will beschaulich sein, ruft ein Brünner Freund: «Leo, um die Koppe.»

Deine liebe Mutter flötet: «Leo, um die Koppe.»

Die anderen Gäste, die sich alle als meine Erzieher fühlen, rufen im Chor: «Herr Kammersänger, um die Koppe.»

Das Wort Koppe löste bei mir ein Meer von Galle aus.

Wenn es schüttet, daß man von Rechts wegen nur in der Badehose herumrennen sollte, muß ich um die Koppe.

Dann kommt das Mittagessen.

Neben, vor und hinter mir, essen sie die besten Sachen, und ich habe einen Rahmen auf dem Tisch, mit drei grünen Streifen.

Das bedeutet — strenge Diät.

In homöopathischen Quantitäten bekomme ich Sachen vor mich hingestellt, die ich normal mit Entrüstung zurückweisen würde.

Alles fettlos, mit Sacharin gekocht, und lauter Salat.

Salat in Hekatomben — ich dürfte ein Ziegenbock sein.

Dann muß man sitzenbleiben, bis alle fertiggegessen haben und einer der Herrn Ärzte «Mahlzeit» ruft.

So vergeht der Tag mit nassem Leintuch, Quelle, Koppe, Salat und Hungern.

Endlich war sie da, die Abschiedsstunde.

Nach diesen drei Wochen als Wunderfakir hatte ich die Nase voll und wir fuhren im offenen Wagen, unter Akklamation der

Ärzte, des ganzen Personals, der Schwestern, Badediener und aller Mitpatienten, aus dem Hofe heraus.

Unserem Chauffeur Josef rief man noch nach, er solle auf mich aufpassen und strenge sein mit mir.

Alles winkte und alles rief im Chor: «Leo, um die Koppe — Leo, weiterhungern.»

Zum Abschied gab es uns zu Ehren noch einen besonders gelungenen Knall — wir erschraken noch einmal intensiv, und dahin ging es ins Leben, in die Freiheit.

Wir kamen bis Görlitz, wo ich, trotz Mamis verschleiertem Madonnenblick und ihrem milden Flüstern: «Leo, dein Bauch», mich ordentlich sattaß und drei Krügel Bier auf das Sanatorium leerte.

Nun sind wir wieder drei Tage daheim, ich habe mich gewogen und besitze zweieinhalb Kilo mehr, als vor der Hungerkur.

Mami wiegt das Essen, in die Küche darf ich nicht.

Heute ging ich ohne jede böse Absicht durch diese, da sagte unsere Köchin: «Ich bitt schön, Herr Kammersänger, die gnä Frau hat angschafft, ich darf den Herrn Kammersänger nicht in der Kuchel lassen, weil der Herr Kammersänger immer aus die Heferln herauskletzelt, und das ist schlecht für den Herrn Kammersänger.»

Alles bevormundet mich, jeder ist streng mit mir.

Das ist keine Stellung mehr, das ist schon eine Position.

Komme nach Hause, mein kindlicher Menschendarsteller, damit ich in dem Wirrsal von Weibern wenigstens einen Mann habe, der zu mir hält.

Da gehen wir heimlich zur Rosel Grieblinger, die hat einen Leberkäs, der ist ein Märchen aus Tausendundeiner Nacht.

Nun viele Bussi, mein geliebtes Kind, und gewöhne Dir ab, mich immer einen würdigen Greis zu nennen, denn ich bin weder würdig noch ein Greis, sondern Dein geradezu aufreizend rüstiger

Vater.

P. S. Mami sendet Dir auch viele Bussi, ebenso die O, Helgalein, der Paperl, Schnauzi und die beiden Katzen.

Susi hat sich mit dem Köter von Focke vergessen und hat drei scheußliche Junge zur Welt gebracht.

Ich beabsichtige, Focke auf Alimente zu klagen.

Geliebte Eltern!

Unsere Show ist heraus.

Es war ein großer Erfolg, ich mußte mein Lied viermal vortragen.

Dir gegenüber wage ich das Wort «singen» nicht zu gebrauchen.

Habe es englisch, deutsch, italienisch und noch einmal englisch singen müssen.

Es war tulli.

Bei meinem Singen sagten alle einstimmig: «Quite his Father!» Ich wehrte mich dagegen, in Deinem Interesse.

Daß man Dich in Gräfenberg so drangsalierte, schmerzt mich, aber es war zu Deinem Guten, und es ist für mich nicht gleichgültig, ob ich einen dicken oder schlanken Vater habe.

Wir spielten hier in Baltimore, im Lyric, wo Du den Othello gesungen hast.

Der Theaterportier läßt Dich grüßen, er sagte, Du wärest ein «funny man» und hättest immer Deinen «Joke» mit ihm gemacht.

Er erinnerte sich, daß er damals weiße Gamaschen getragen hat, und Du ihn jedesmal aufmerksam gemacht hättest, daß er seine Unterhose verliert, trotzdem er Dir dreißigmal versicherte, daß es die Gamaschen wären.

Ein heißer Kasten ist dieses Lyric, ich freue mich schon auf unser eisgekühltes Theater am Broadway, wo einem nicht die Schminke vom Gesicht auf die Kleider fließt.

Gestern haben wir gebummelt, waren in einem Speakeasy, einem Flüsterrestaurant, und bekamen Whisky mit Soda in Kaffeetassen, soviel wir wollten.

Meinen schwarzen Diener habe ich Dir zu Ehren Othello genannt, er ist ein braver Kerl, ein guter Fahrer — ob er stiehlt, weiß ich noch nicht, bei mir dauert es leider immer sehr lange, bis ich es merke.

Lieber Papa, sei brav, folge unserer Mami, sei nicht renitent und mache Deinen Kindern Freude.

Meine Partnerin ist sehr fesch, ich habe ihr viel von Dir erzählt, sie liebt Dich schon.

Mich auch.

Sie lernt Deutsch mit mir — ohne Grammatik.

Fluchen kann sie schon, ebenso diverse salonunfähige Sachen.

Sie ist zum Fressen.

Gretel schrieb mir, sie singt die Martha in Tiefland, sie freut sich schon so darauf.

Ach warum kann ich nicht singen, ich möchte es so gerne.

Deine Frage, warum ich nicht eine steinreiche Amerikanerin heirate, ist verfrüht.

Vorerst mag ich nicht Menü essen, sondern nur à la Carte.

Außerdem weiß ich nicht, ob ich für die Ehe passe, denn der Gedanke, daß mich daheim immer dieselbe Frau erwartet, beunruhigt mich.

Ich warte lieber noch.

Mit dem Reichheiraten ist das auch so eine Sache.

Man kriegt dann womöglich täglich aufs Brot geschmiert, was

die Gemahlin für Geld in die Ehe brachte, und darf den Mund nicht aufmachen.

In der Ehe muß ich der Herr sein — so wie Du, lieber Papa.

Ich verdiene mehr als ich brauche, und wenn ich heirate, will ich nur eine Frau, die wie unsere Mami ist.

So eine finde ich nicht, also bleibe ich lieber ledig.

Wie sehne ich mich nach meinem lieben Egern.

Mit Gottes Hilfe komme ich nächsten Sommer heim, das wird fein, da wollen wir Männer festzusammenhalten und ungewöhnlich schlimm sein.

Tausend innige Bussi unserer Mami, O, Gretel, Helgalein, dem ganzen Viecherwerk und Dir, liebster Papa, von Deinem Baltimorestar   Wälduli.

                                                          Auf See.

Innig geliebte Eltern!
Also das ist eine Fahrerei.

Elf Tage nach Neuyork.

Zum Auswachsen ist das, danebenher rennen könnte man.

Die See ist ziemlich ruhig, nur zu ruhig, ich habe es gerne, wenn sich etwas rührt.

Vorgestern war es allerdings ein bisserl arg, das Wasser spülte über das Schiff, alles flog hin und her, die Flaschen waren auf den Tischen festgemacht, und der Speisesaal leer.

Gestern, beim Lunch, als ich mir noch einen halben Hummer auf den Teller legte, rief mir der Kapitän lachend zu: «Herr Slezak, nicht so viel essen, die Großmama hat es verboten.»

Ich lachte und aß weiter.

Als ich mir vom Braten noch einmal geben ließ, rief er wieder herüber: «Herr Slezak, nicht so viel essen, die Großmama hat es verboten.»

Nach Tisch ging ich auf Deck, rauchte meine Zigarre, beugte mich über die Reling und ließ mir den Wind um die Ohren blasen.

Da klopfte mir der Kapitän auf die Schulter und sagte: «Herr Slezak, nicht über die Reling beugen, die Großmama hat es verboten.»

Jetzt riß mir die Geduld und ich fragte, was denn das mit der Großmama zu bedeuten habe.

Er reichte mir einen Brief folgenden Inhalts:

Sehr geehrter Herr Kapitän!
Mein Enkel Walter Slezak fährt mit Ihnen nach Amerika.
Fahren Sie vorsichtig.
Bitt Sie, geben Sie obacht, daß er nicht ins Wasser fällt, und lassen

Sie ihn nicht zuviel essen, das hat er von seinem Vater.
Schauen Sie halt ein bissel auf den Buben.
Es grüßt Sie herzlich, die Großmutter von Walter Slezak.

Diesen Brief habe ich, lieber Papa, Deinem sonnigen Humor zu danken.

Es hat sich wie ein Lauffeuer auf dem Schiff herumgesprochen, und jetzt wird jeder Bissen, den ich in den Mund stecke, von den Passagieren beobachtet und mit scherzhaft sein sollenden Drohungen quittiert. Wann wirst Du, lieber Papa, endlich einmal ernster werden?

An dem stürmischen Tage machte ich auf Deck meine Promenade, da rief mich ein älterer Herr an, der halbtot auf seinem Liegestuhl lag: «Hallo, Mister Slezak, ich bitte Sie, ist das, was man dort sieht, schon Land?»

«Nein», sage ich, «das ist der Horizont.»

«Besser als gar nichts», war seine Antwort.

Du wirst sagen, daß Du das bereits vor vielen Jahren einmal selber erzähltest und damals schon Unannehmlichkeiten hattest.

Diesen Joke macht der alte Herr auch schon seit vierzig Jahren, er findet ihn so gut.

Gestern abend, beim Kapitänsdinner, war ich als «Prominenter» auch der Ehre teilhaftig, am Kapitänstisch eingeladen zu sein.

Es wurden Reden gehalten, der Kapitän gelobt, anerkennend wurde festgestellt, wie sicher und mannhaft er mit seinem Schiff Furchen in den Ozean schneidet.

Da stand auch ich auf und sagte: «Herr Kapitän, gestatten Sie mir, Ihnen das Blaue Band für die langsamste Überquerung des Ozeans zu überreichen.»

Zuerst lachte alles auf, aber als man bemerkte, daß der Kapitän eisig blickte und, verlegen hüstelnd, unvermittelt ein anderes Thema anschlug, sah mich alles scheel an und man schnitt mich.

Ich habe mich dann beim Kapitän entschuldigt, es ist alles wieder in Butter.

Die Musik ist nicht sehr schön, aber man darf den Musikern nichts tun.

Ich habe den Steward gefragt.

Noch ein Tag und dann ist diese sture Reise zu Ende.

Schön war es zu Hause und ich danke Euch, daß Ihr mich so verwöhnt habt.

Um Eure Ägyptenreise beneide ich Euch, die wird herrlich.

Jetzt freue ich mich auf mein Heim und meinen lieben Hund, der wird es treiben, wenn ich komme, Othello bringt ihn an den Pier mit.

Montag beginnen die Proben, hoffentlich geht die Show recht lange.

Meine geliebten Urheber, ich nehme Euch um den Hals und gebe Euch eine gewisse Anzahl von Bussi in inniger Liebe und bin Euer Seefahrer und Knabe   Walter.

Geliebter Vater!

Du hast mir geschrieben, Du wirst schreiben, und hast nicht geschrieben.

Wenn man schreibt, man schreibt, dann schreibt man.

Du hast aber nicht geschrieben, obwohl Du geschrieben hast, Du wirst schreiben.

Solltest Du auf dieses Schreiben nicht schreiben, so schreibe wenigstens, warum Du nicht schreibst.

Dein lieber Sohn   Walter.

P.S. Verzeihe, daß ich mit Bleistift schreibe.

Mein lieber Sohn!

Du hast schon wieder vierzehn Tage nicht geschrieben.

Ich rufe Dich zur Ordnung.

Diesen idiotenhaften Scherz mit schreiben und nicht geschrieben rechne ich nicht als Brief, weil ich daraus nicht entnehmen kann, wie es Dir geht, sondern nur, daß Du ein Trottel bist.

Auch hast Du, trotz meiner väterlichen Ermahnungen, niemals ein Datum angegeben.

Wenn der Poststempel verwischt ist, hat man keine Ahnung, wann der Brief aufgegeben wurde.

Das ist eine Schlamperei, der Du, mein Kind, für die Zukunft entsagen mußt.

Du sollst, wie ich, auf dem Pfade der Vollendung rüstig vorwärtsschreiten, um auf dieser Basis unsere gegenseitigen Beziehungen zu vertiefen.

Vorerst bist du noch mein Sohn, nach dem ich Sehnsucht habe und der mir gehört.

Also, Walter, denke daran: öfter schreiben, Datum angeben und etwas ehrfurchtsvoller.

Die beiden Onkel, Rudolf und Bohumil, hatten wieder einmal einen schweren Krach, bei dem einer dem andern verbat, zu seinem Leichenbegängnis zu gehen.

Die Gründe, um derentwillen sie streiten, nehmen geradezu Irrenhäuslerformen an.

Onkel Rudolf behauptete, das Wort «sophistisch» käme von Sofa.

Bohumil erklärte das als glatten Blödsinn und sagte, es käme von Sophie.

Da gingen beide hoch, und es war jeden Augenblick ein Schlag-
anfall zu erwarten.

Je mehr ich darüber nachdenke und die Mitglieder unserer Familie an meinem geistigen Auge vorüberziehen lasse, desto mehr
faßt die Überzeugung in mir Wurzel, daß wir alle, auch Du, mein
Kind, sonderbar sind.

Daheim geht alles seinen Gang.

Helga hat die Schule geschwänzt.

Sie ließ sich von Minnerl, ihrer Erzieherin, in die Schule führen,
versteckte sich auf der Stiege, und als Minnerl weg war, ist sie ab-
gefahren.

Sie ging ins Non-stop-Kino.

Ich habe sie mir vorgenommen, da meinte sie zu ihrer Entschul-
digung, sie hätte Mathematikschularbeit haben sollen, und auf diese
war sie nicht neugierig.

Von wem hat das das kluge Kind?

Deine Mami ist sehr lieb, sie wiegt mir fleißig das Essen aufs
Gramm.

Ist ein Gramm zuviel, nimmt sie zehn Gramm weg, um dann wieder zwanzig hinzuzufügen.

Das Essen wird kalt und ungenießbar.

Helgalein lacht sich über ihre Großeltern den Buckel voll.

Nun schließe ich, mein Kind, und erwarte einen ausführlichen
Brief, ohne sonnigen Humor, wie den letzten.

Gib nicht zuviel Geld aus, sei kein Flottwell, wenn Du Geschenke
machst, dann sinnige.

Die sind billiger und beinhalten mehr.

Spare und schreibe Deinen   Eltern.

P. S. Es ist mir zu Ohren gekommen, daß Du bei deinem letzten
Besuch, als Du gefragt wurdest, was Du für Pläne hast, geantwortet
haben sollst: Jetzt lasse ich den Alten noch zwei Jahre singen und
dann ziehe ich mich ins Privatleben zurück.

Walter!

Das ist unschön und wird in der Familie lieblos kommentiert.

Wenn Du wenigstens gesagt hättest, den «lieben» Alten.

Walter, gehe in Dich.

Ich bin ein echter Wiener.

Alle echten Wiener sind aus Brünn.

Jeder, der etwas auf sich hält, etwas bedeuten will, ist aus Brünn.
Ist dies einmal nicht der Fall, so bildet das eine Ausnahme.

Trotz der vielen, vielen Jahre, die ins Land gegangen sind, seit
ich von Brünn fort bin, habe ich immer ein warmes Heimatsgefühl.

Wenn ich die spitzen Türme des Domes oder die Silhouette des
Spielberges am Horizont auftauchen sehe, wird mir wohl ums
Herz.

Alles hat sich für mich in Brünn vorbereitet, die Sturm- und
Drangperiode in meinem Berufe, der Aufstieg aus dem trübsten
Trüben zu ungeahnten, lichten Höhen.

Ein Gastspiel in Brünn war mir immer eine Herzensangelegen-
heit.

Da plätscherte ich so recht in dem richtigen Wasser, aus dem ich
gestiegen bin.

Ungezählte Erinnerungen knüpfen sich an diese Stadt.

Viele Jahre kam ich als Gast an das liebe Stadttheater, das die
Wiege meines Berufes ist, bis in die letzten Tage vor meinem Eintritt in den Ruhestand.

Bei jedem Brünner Besuch erlebte ich Abwechslungsreiches.

Durch den Umstand, daß ich in Brünn meine Jugendzeit, vom
zarten Schulknaben bis zum reifen Jüngling, verlebte, bildete sich
ein sehr verbreiteter Bekanntenkreis aus allen Schichten der Be-
völkerung heraus, und man gab der Freude des Wiedersehens in
verschiedener Form Ausdruck.

Schon bei der Ankunft mit der Bahn riefen mir alle Träger und
Bahnbediensteten ein schallendes «Servus Leo» zu, duzten mich,
und sind alle, ob sie nun zwanzig Jahre jünger oder fünfundzwan-
zig Jahre älter waren als ich, ausnahmslos mit mir in die Schule
gegangen.

In der Schnelligkeit der Ankunft erinnerten sie mich an Episoden,
die nie stattgefunden haben, und jeder einzelne hat mich zum
Theater gebracht.

«Erinnerst dich, wie heute weiß ich es noch, wie ich dir gesagt
hab, du sollst zum Theater gehn, weil du immer so einen Schaschek
gemacht hast und so ein Grasel warst?»

Schaschek heißt ins Deutsche übersetzt Bajazzo und Grasel ist ein Strolch.

Beides ein triftiger Grund, um zum Theater zu gehen.

«Ich bin schuld, daß du jetzt so eine Kanone bist. Dafür könntest du mir etwas schenken.»

Ich tat es und die Sache war ritterlich ausgetragen.

Dies alles in dem eigenartigen Brünner Dialekt, der nicht sehr schön ist, aber in der Verklärung der Erinnerung an die Jugendzeit mir nicht so unerfreulich klingt, als er wohl fremden Ohren klingen mag.

Bei solch einem Besuch in der Heimat war es üblich, mit den Honoratioren auf der Linie A—B, dem Brünner Korso, sich zu zeigen, zu lustwandeln, wo sich alles traf, sich alles kannte und sich bei jedesmaligem Begegnen respektvoll grüßte.

Ganz Brünn war versammelt.

Die Jugend flirtete und kokettierte, die Damen führten ihre neuen Modelle aus Wien spazieren und freuten sich, wenn sie Furore machten und Neid erregten.

Auf Schritt und Tritt sah man bekannte Gesichter, mußte jeden Augenblick stehenbleiben, Rede und Antwort stehen, und war so manchen unerfreulichen Ansprachen ausgesetzt, die wenig Feingefühl verrieten.

Es gibt Menschen, die ein besonderes Talent haben, unter der Maske der Objektivität und Aufrichtigkeit, die das sicherste Zeichen wahrer Freundschaft sind, die größten Unannehmlichkeiten zu sagen, so daß man nach solch einer Begegnung in sein kläglichstes Nichts zusammenschrumpft und am Leben verzagt.

«Servus Leo, also jünger bist du auch nicht geworden.

Die Krampeln unter den Augen, die Haare werden auch schon dünner — bei dieser Gelegenheit wird mir trotz Abwehr der Hut vom Kopfe genommen —, aber du bist noch blond —, du farbelst dich, was?

Bist auch schon ein alter Kracher — pfeifst auch schon aus dem letzten Loch.

Gestern hab ich dich in Schutz nehmen müssen.

Da sagt so ein Lepon im Kaffeehaus, der Slezak muß schon in die siebzig sein.

Da sagte ich diesem Trottel, also das ist übertrieben, es ist ja wahr, er ist in den letzten Jahren rapid alt geworden, aber von siebzig kann keine Rede sein, der ist jünger.»

Trotz aller Versuche loszukommen, werde ich festgehalten.

«Blöd sind dir die Leute, da hat so ein Niemand gesagt, du hast ihm als Othello nicht gefallen, es ist ihm ein Brechen angegangen und du kannst den Vergleich mit dem Jannings nicht aushalten.

No, ich hab ihn reden lassen.

Im Tagesboten habe ich gelesen, daß du den Brünnern aus deinem Witzbüchel vorlesen wirst.»

Ich verwahrte mich energisch gegen das Witzbüchel und erörterte ihm, daß meine Bücher literarische Köstlichkeiten, stilistische Offenbarungen und er ein Kaffer ist.

Er blieb aber dabei: «Ein Büchel, das zum Lachen ist, ist meiner Auffassung nach ein Witzbüchel.»

Auch schreckte es den Aufrichtigen nicht ab, mir noch zu versetzen, daß ich bei meinem Gastspiel vor achtzehn Jahren miserabel bei Stimme war, er sich damals um das viele Geld, das sein Platz gekostet hat, ärgerte und seitdem nicht mehr zu meinen Vorstellungen gegangen ist.

Ich kochte, ließ ihn stehen und ging.

Jetzt geht er in Brünn herum und sagt jedem, der Slezak ist ein arroganter Kerl.

Auf der Linie A—B ist ein Fiakerstandplatz.

In die gepflegte Unterhaltung mit meinen Freunden platzt ein Aufschrei des Wasserers, des Wagenwaschers, hinein, der barfuß und mit bis zu den Knien heraufgekrempelten Hosen ein Paar in jeder Beziehung beanstandenswerte Waden dem Beschauer erbarmungslos preisgibt.

«Sakra Slezak, du bist ausgefressen, schenk mir a Krone.»

Ich gehe zu dem Manne hin, schenke ihm einige Kronen und ersuche ihn, es nicht so laut in die Welt hinauszuschreien, daß ich ausgefressen bin, weil mir das in meinem Berufe als liebender Held schadet.

Er gelobte es.

Da fällt mir eine Episode aus meiner Militärzeit ein.

Ich war ein strammer Unteroffizier bei den Siebzehner Jägern in der Kaserne am Dominikanerplatz.

Zu dieser Zeit bekamen wir Krieger kein Nachtmahl.

Frühstück und Mittagessen, sonst nichts.

Zum Abendessen kaufte man sich in einer Auskocherei um drei Kreuzer eine Menageschale voll Saures.

Saures ist ein Beuschel.

Lungenhaschee nennt es der Preuße — Lüngerl der Bayer — Beuschel der Österreicher.

Also das Saure war nicht gut.

Es kamen in diesem Beuschel oft Sachen vor, die man perhorreszierte, vor denen einem grauste, und die bestimmt nicht hineingehörten.

Aber man war jung, hatte Hunger, übersah diese peinlichen Zugaben, schloß die Augen und aß.

Zur Abwechslung ging man in einen Selcherladen und kaufte sich um drei Kreuzer Abschnitzeln.

Einen höheren Betrag erlaubte das Budget nicht.

Abschnitzel sind Wurstenden mit viel Haut und Spagat.

Spagat wird auch hochtrabend — Bindfaden genannt.

Von den Wissenschaftlern ist zwar inzwischen erforscht worden, daß in der Haut und dem Spagat die meisten Vitamine enthalten sind, und es Vitaminfanatiker gibt, die aus diesem Grunde nur die Haut und den Spagat essen.

Zu meiner Kriegerzeit war das aber noch nicht bekannt, deshalb empfand man die Haut und den Spagat als belastend und ärgerte sich.

Dann gab es Schinkenfett und Speckhäute, von denen man sich den noch spärlich anhaftenden Speck abkratzte und aufs Brot schmierte.

In besagtem Selchergeschäft war eine außergewöhnlich unschöne Verkäuferin.

Sie war lang und hager, sehr überwuzelt, und hatte viele Wimmerln im Gesicht, die besonders störten.

Aus verdammenswertem Egoismus, nur damit die Abschnitzel besser und reichlicher ausfielen, benahm ich mich nicht gentleman-like.

Ich trieb ein schnödes Spiel mit der Bewimmerlten.

Ich kam, wenn sie alleine war, blickte ihr tief in die Augen, verlangte um drei Kreuzer Abschnitzel, indem ich ihr vorher diese drei Kreuzer zärtlich in die Hand drückte, und ihre Hand, als Steigerung, einen Augenblick festhielt.

Sie hauchte zart: «O Herr Unterjäger, Sie sind aber einer!»

Der Effekt blieb nicht aus.

Ich bekam Abschnitzel, die schon keine Abschnitzel mehr waren, sondern halbe Preßwürste, Schinkenfett mit erheblich viel Schinken dran und weder Haut noch Spagat. — Es war berauschend.

Nachdem sich dieser Vorgang des öfteren wiederholte, wurde die Selchermaid immer liebenswürdiger und zutraulicher.

Eines Tages äußerte sie den Wunsch, mit mir, wie sie es nannte, auf den Ausgang zu gehen.

Ich sollte aber ja nicht glauben, daß mich das etwas kostet, nein, beileibe nicht, sie bezahle alles.

Das war ein schwerer Schlag für mich, denn der Gedanke, mit dieser stangenartigen Jungfrau mich öffentlich zu zeigen, erschien mir untragbar.

Ich gebar die unwahrscheinlichsten Ausreden, immer hatte ich Dienst, und immer wieder fand ich einen Grund, mich diesem, immer stürmischer geforderten Ausgang zu entziehen.

An einem Freitag stellte sie wieder die Frage, ob wir denn nicht am Sonntag endlich auf den Ausgang gehen könnten, sie wisse ein sehr feines Tanzlokal.

Ich bedauerte unendlich, gerade diesen Sonntag sei es unmöglich, denn ich habe Heu- und Strohdepotwache.

Der Sonntag kam.

Nach der Befehlsausgabe, um zwei Uhr nachmittags, stehe ich in meiner Ausgangsuniform vor der Kaserne, das blankgeputzte Koppel um den damals gertenschlanken Leib, das vorschriftswidrige Kapperl schief auf dem linken Ohr, die Virginia im Munde und knöpfte mir meine blütenweißen Handschuhe zu.

Jeder Zoll ein Feschak.

Da zischte es plötzlich hinter mir:

«Ah, so haben Sie Dienst?

Das ist Heu- und Strohdepot?

Das ist Wache?

Ah, da schau her — Abschnitzel fressen, ja — auf den Ausgang, nein?

Das ist a Charakter! — Pfui Teiwl! — Pfui Teiwl!» Und weg war sie.

Der Abschnitzelflirt war zu Ende — ich mußte wieder Saures essen.

Aber einesteils war ich doch von dieser erdbebenartigen Lösung befriedigt, denn ich hatte schon damals, als hungriger Soldat, schamhafte Hemmungen.

In Zukunft wich ich der Selcherei aus, und mußte ich einmal vorbeigehen, schlug ich die Augen nieder.

Ich schämte mich.

Doch zurück zur Linie A–B.

Es kam mir ein würdiger Herr mit einem unwahrscheinlich langen, schneeweißen Vollbart entgegen, der ihm bis zu den Hüften reichte, wie ihn nur der Nicolo, der heilige Nikolaus, zu tragen pflegt.

Er breitet die Arme aus und jubelt:

«Leoschku, servus Leo, laß dich umarmen, mein Gott, wo sind diese Zeiten?»

Ehrfurchtsvoll sage ich dem anscheinend Hundertjährigen, daß ich nicht das Vergnügen habe, ihn zu kennen.

«Jesusmarja, Leo, du kennst mich nicht?

Ich bin doch der Konvalinka!»

«Inwieso Konvalinka?» frage ich.

«Leoschku, wir sind doch zusammen in die Volksschule gegangen, in die Minoritengassen.» —

«Das ist ausgeschlossen.»

«Warum ausgeschlossen?»

«Weil wir damals in der ganzen Volksschule nicht einen Schüler hatten, der so einen langen, weißen Vollbart gehabt hat.»

Er war beleidigt.

Eine typisch brünnerische Gepflogenheit ist es, angehalten und gefragt zu werden: Wer bin ich? — Raten Sie, wer bin ich?

Bei meiner Abreise stellt sich mir im Korridor des Hotels ein Herr entgegen, faßt mich am Knopf meines Überziehers und fragt mich strahlend: «Herr Slezak — wer bin ich?»

Ich sage, ich weiß es nicht, ich habe Eile, mein Zug geht in zehn Minuten.

«No, nein, Spaß apart, wer bin ich wirklich?»

«Herr, geben Sie mir keine Rebusse auf, sage ich zornig, ich weiß nicht, wer Sie sind, will es auch nicht wissen, ich versäume meinen Zug.»

Ich reiße mich los, er behält meinen Überzieherknopf in der Hand und ruft mir nach:

«Ich bin der Sohn vom Baumeister Zoufal, mich kennen Sie nicht, aber meinen Vater haben Sie gut gekannt.»

Unerfreulich in der Heimat sind die Verwandten.

Wird so ein Onkel gefragt, wie gefällt Ihnen der Leo?

Mit verächtlich herabgezogenen Mundwinkeln raunt dieser jedem x-beliebigen ins Ohr:

«Was kann der schon können, das ist doch mein Neffe.»

Lang, lang ist's her, die Zahl der alten Freunde ist immer kleiner geworden, alles um mich her ist gestorben.

Nur die Gräber meiner geliebten Eltern habe ich noch in Brünn, die ich zweimal im Jahre besuche, aber gleich wieder wegfahre, um das Herzweh abzukürzen.

Sie heißt Antonie, wird aber respektlos und schlicht Tonerl genannt.

Die Kinder heißen sie: «O».

Abgeleitet von «Oma».

Seit vielen Jahren lebt sie in meinem Hause und ist achtundachtzig Jahre alt.

Ein geliebter Hausgenoß.

Wir können uns das liebe, gute Gesicht von unserem Tische gar nicht wegdenken.

Unsere O ist ein Original, von einer Urwüchsigkeit, die es heute nicht mehr gibt, einem gottbegnadeten Humor, und jetzt noch, in diesem hohen Alter, von geradezu verblüffender Schlagfertigkeit.

Sie ist meine Schwiegermutter, aber keine von denen, die in Couplets und Witzblättern gebrandmarkt werden, sondern eine gute, vernünftige.

Allerdings sind diese guten Eigenschaften, dank meines geradezu genialen Talentes, Schwiegermütter zu formen, zum größten Teile anerzogen.

Am frühen Morgen, wir waren ganz jung verheiratet, war sie schon da, um nach dem Rechten zu sehen und mit dem Personal Stunk zu machen.

Sie stierlte in allen Kasteln und Winkeln herum, fand immer etwas Beanstandenswertes, zog da und dort einige zur Seite gebrachte Eier, Butter, Kaffee oder Zucker heraus, kam selig entrüstet zu unseren Betten und teilte uns aufgeregt die Ergebnisse ihrer Forschungsarbeit mit.

Wenn ich nicht sofort energisch abgewinkt hätte, wären wir in der angenehmen Lage gewesen, dreimal täglich das Personal wechseln zu müssen.

Nun setzte meine Erziehung ein.

Mitten in den Frührapport mit seinen Anklagen und beigebrachten corpora delicti sagte ich sanft: «Liebe Mutter, das interessiert uns nicht, Schluß!»

Die ersten Male war sie beleidigt und meinte, es wäre ja nicht ihr Geld, es sei ihr Wurscht, und rauschte von hinnen. Als dann jeder weitere Vorstoß in gleicher, männlich fester Weise abgewiesen wurde, sie die Zwecklosigkeit ihrer Spähunternehmungen einsah

— einsah, daß uns der Verlust einiger Eier oder sonstiger Fressalien lieber war, als der des häuslichen Friedens, gab sie es auf.

Das heißt, sie stierlte weiter, teilte aber das Resultat nicht mehr uns, sondern den Verwandten mit, um sich Erleichterung zu verschaffen.

Als ich um Liesi freite, wußte ich, dank Tonerls Sprunghaftigkeit, niemals, ob ich noch verlobt bin oder nicht.

Man nennt die Brautzeit die schönste Zeit im Leben eines Sterblichen.

Das ist ein holdes Märchen.

Die meine war es nicht.

Mein Brautstand war ein Martyrium.

Märtyrer, wie etwa der heilige Sebastian — das ist der mit den vielen Pfeilen überall, waren Lebemänner gegen mich.

In diesen sechs Wochen, von der offiziellen Verlobung bis zur Hochzeit, bekam ich mindestens zehn Absagebriefe.

Zum Glück traf es sich immer so, daß, wenn meine Braut abschrieb — Mama dagegen war und ihrer Tochter sagte: «So etwas macht man nicht, wenn man sich mit jemandem verlobt, dann nimmt man ihn auch.»

Ihre Einwendungen, ich sei zu wenig ernst und sie könne sich nicht entschließen, zerstreute sie mit dem Trost, daß ich mit jedem Tag älter werde und ernster.

War dieses Unheil abgewendet, bekam ich von Mama einen Brief, in dem sie schrieb, sie habe in der Elektrischen gehört, daß ich ein Hallodri bin, gegen den Casanova als ein Trappistenmönch anzusprechen ist, und die Verlobung sei gelöst.

Ich stürzte zu meiner Braut, wusch mich rein und gelobte, daß ich, bevor ich sie kennenlernte, überhaupt nicht gewußt habe, daß es zweierlei Geschlechter gibt.

Davon überzeugt, sagte sie ihrer Mutter, daß sie mich doch nimmt, denn ich sei unschuldig und das Opfer eines Tratsches in der Elektrischen.

So ging das fort.

Auch die Besuche als Bräutigam waren nicht sehr erbaulich.

Nie ließ man uns allein, immer saß Mama dabei, und war sie einmal nicht da, mußte ihre Schwester den Elefanten machen, um das Dekorum zu wahren.

Abends um dreiviertel zehn wurde mir mein Hut aufgestülpt und ich an die Luft gesetzt.

Daß immer etwas gegen mich vorlag, dafür sorgten schon die guten Nachbarn, Kollegen und Bekannten.

Wenn diese leckere Brautzeit noch länger gedauert hätte, wäre ich grinsendem Irrsinn verfallen.

Aber nichts dauert ewig, endlich war der Tag da, an dem ich meine Liesi endgültig bekam, nicht mehr weggeschickt werden konnte und diese wunderbare Brautzeit ein Ende hatte.

In Bälde hatte ich mich mit Mama so angefreundet, daß sie sogar bei Streitigkeiten, die besonders in der ersten Zeit der Ehe wegen der nichtigsten Sachen an der Tagesordnung sind, immer meine Partei nahm.

Sie hat eingesehen, daß sie mit mir als Schwiegersohn einen Haupttreffer gemacht, das heißt, ich habe es ihr so lange suggeriert, bis sie es glaubte.

Während unserer vielen Gastspielreisen in Europa führte uns Mama das Hauswesen, betreute die Kinder, die wir unter ihrer Obhut wohl geborgen wußten.

Tonerl war in ihrer Jugend eine große Schönheit, und erzählte gerne davon.

Besonders schilderte sie in den lebendigsten Farben, was sie für schöne Kleider hatte, beschrieb diese bis in die kleinsten Details, zählte alle Rüscherln und Ajourbesätze auf, und freudig bewegt hob sie hervor, wie sich die Weiber gegiftet haben, wenn die schöne Toni in ihrem Phaethon saß und diesen mit fester Hand lenkte.

Hinten saß ein Groom, ein in eine knallige Livree gesteckter Bauernjunge, der mußte die Hände übereinandergeschlagen haben und durfte nichts reden, damit man nicht gleich den Dorftrottel in ihm entdeckte.

Sie hatte die dünnste Wespentaille von ganz Wien, erzählte sie stolz.

«Ich hab mich aber auch zusammengeschnürt, daß ich oft ohnmächtig geworden bin», unterstrich sie als besonderes Verdienst.

Ein Besuch der Oper oder des Burgtheaters hatte immer sehr bald ein Ende gefunden, weil sie so zusammengeradelt war, daß ihr schon während des ersten Aktes schlecht wurde.

Außerdem hatte sie viel kleinere Schuhe, als ihre, wie sie sagte, berühmt kleinen Füße waren.

Sie zog sie aus, wenn der Akt begann, und fand sie nicht, wenn es im Theater wieder licht wurde.

Da mußte der liebe, gute Papa im Frack am Fußboden herumkriechen und Tonerls Schucherln suchen.

Nach ihren Erzählungen hatte ihr verstorbener Gatte nichts zu lachen.

Es war ein unsagbar gütiger, hochgebildeter Mann, der sechs Sprachen sprach und infolge seines Wissens als Konversationslexikon benutzt werden konnte.

Aber alle Bemühungen, seiner Toni etwas von seinen Kenntnissen abzugeben, scheiterten an ihrer hemmungslosen Unbelehrbarkeit.

Sie nannte ihren Gatten Huber.

Das kam so: Die Verwandten in Paris schrieben ihm immer: cher Guillaume.

Aus Guillaume machte sie erst Giderl.

Dann nannte sie ihn — Gidlhuber.

Endlich ließ sie das Gidl weg und er wurde Huber.

Sie führte ein strenges Regiment und war infolge ihres hochentwickelten Mangels an pädagogischer Begabung mit den Buben immer auf Kriegsfuß.

Vier Kinder hatte sie, zwei Knaben und zwei Mädchen.

Die Mädchen waren ihre Lieblinge, sie wurden verhätschelt, wie die Affen mit Bändern und Schleifen aufgeputzt, litten unter ununterbrochenem Gekämmtwerden und Aufpassen, mußten immer stillsitzen, um ja nichts von diesem Glanz zu zerdrücken. Sie wurden bei jeder Gelegenheit den Buben vorgezogen, was deren Neid erregte.

Kinderschlachten waren an der Tagesordnung, dazwischen stand der gute Hubersmann, wie er von den Kindern genannt wurde, und sollte auf Tonerls Befehl Ordnung schaffen.

Trotz der Häufigkeit der Kämpfe konnte sich dieser vornehme Mann an die Krachs am laufenden Band nicht gewöhnen und litt Qualen.

Als ihre zweite Tochter auch wegheiratete, kam sie zu mir in mein Haus und ist für uns alle eine Quelle von Frohsinn und Heiterkeit.

Sie ist die Zielscheibe aller Scherze, besonders die der Kinder, und auch für mich.

Ich habe sie durch Liebe und richtige Behandlung gezähmt.

Hie und da hatte sie, vor vielen Jahren allerdings, noch urwüchsige Anfälle, die aber immer seltener wurden, und auf einmal war sie die gute, liebe und brave O.

Mein Verdienst.

Ihre ungeschminkte Art, sich zu geben, ihre urwienerische Ausdrucksweise waren köstlich, und ich will einige kleine Proben folgen lassen.

Mein Greterl war zwölf Jahre alt und angefüllt mit fanatischer Liebe zur Musik, in der sie im Elternhaus aufgewachsen ist. Jede Opernvorstellung, in die sie gehen durfte, war ein Erlebnis.

Als wir wieder einmal auf Reisen waren, ging sie mit ihrer O in Tristan.

Die arme, alte Dame saß verständnislos da und langweilte sich zum Auswachsen.

Als im zweiten Akt das herrliche Duett: «Sink hernieder, Nacht der Liebe» erklang und mit gehauchtem Pianissimo gesungen wurde, sagte sie ganz laut: «Gredl, morgen nimm ich a Bad!»

Weinend erzählte das Kind uns dann, wie sie sich genierte, die Leute um sie herum haben Pst! gerufen, sie sei aus allen Himmeln gerissen worden — ach und es war so schön!

Als Backfisch war sie eines Abends in Gesellschaft und kam um zehn Uhr heim.

Auf ihrem Nachtkästchen fand sie einen Zettel: Es ist jetzt zwei Uhr nachts — Gretti. — Ich war da. — Du noch nicht! — O.

Es war der 18. August — mein Geburtstag.

Große Gratulationscour.

Die Kinder, festlich geschmückt — sie die Haare mit Zuckerwasser eingedreht, in weißem Kleidchen, er im blütenweißen Matrosenanzug —, kamen mit Blumen und einem geschriebenen Wunsch herein und sagten die von meiner Frau einstudierten Verse unter Tränen auf, weil sie meist steckenblieben und in ihrer Not zum Heulen Zuflucht nahmen.

Diese Geburts- und Namenstage vorzubereiten, war nicht so einfach.

Erstens mußte gedichtet werden.

Viermal im Jahr ein Gedicht — und man wollte doch immer etwas Neues sagen.

Als die Kinder noch ganz klein waren, war es nicht so kompliziert:

Ich bin klein, mein Herz ist rein, und ich gehöre meiner Mami ganz allein.

Aber später, als man an ihre geistigen Fähigkeiten höhere Anforderungen stellte, wurden die Gedichte länger, um endlich in ganze Eposse auszuarten.

Liesi machte es sich leicht, indem sie aus einem Wunschbuch die auf das Fest passenden Reime abänderte. Ich aber mußte ganze Arbeit leisten und Geistesblitze in die Wünsche weben.

Wochen vorher saß ich schon da und dichtete.

Das mußten dann die Kinder lernen, und waren diesem Lernen abhold.

Das Kinderfräulein stürzte herein und beschwerte sich, daß Walter seinen Wunsch für die Mami nicht lernen wolle.

Ein strenges Gericht setzte ein, man appellierte an seine Kindesliebe und machte alle möglichen Versprechungen, was er kriegen werde, wenn er gut gelernt hat.

Das geschah natürlich alles geheim.

Mit vielem Feingefühl mußte man die Krachs im Kinderzimmer überhören und durfte nicht fragen.

Wenn dann der Tag da war, die Lieben stotternd vor uns standen und man ihnen den ganzen Wunsch soufflieren mußte, nahm man sich immer vor, den Kindern diese Qual zu ersparen.

Aber wenn so ein Fest wieder in die Nähe kam, begann das Dichten und der Jammer von neuem.

Eines Tages streikten unsere Sprößlinge und erklärten, jetzt seien sie schon erwachsen und wollten sich auf einen selbstgewählten Dialog mit einem Bussi und Überreichung der Blumenspende beschränken.

Auch das Schreiben des Wunsches auf dem mit Blumen geschmückten Wunschpapier war eine aufreibende Sache.

Viele dieser Wunschpapiere wurden wegen schlechter Schrift und Tintenklecksen weggeworfen, bis endlich eines halbwegs würdig ausfiel.

Dann kam meist Greterl als Sprecherin, die fügsamer und fleißiger war als er, sagte die längsten Gedichte auf; Walter stand immer nur dabei und schloß sich seiner geehrten Vorrednerin an.

Entzückend war diese Zeit, die uns mit Helgalein, unserem Enkelkind, noch einmal geschenkt wurde.

Aber ich schwelge in Kindererinnerungen und will doch von unserer Großmama sprechen.

Nachdem die Wunschfolter absolviert war, gratulierte die O und überreicht mir eine dicke, silberne Bauernuhrkette als Geburtstagsgeschenk.

Ich dankte und sagte vorwurfsvoll: «Aber Mutterl, da hast du wieder viel Geld für mich ausgegeben, was hat denn die Kette gekostet?»

«Das sage ich dir nicht, denn wenn man etwas schenkt, sagt man nicht den Preis von dem Geschenk. Merk dir das!»

«Na Mutterl — dafür hast du wenigstens zwei Mark ausgegeben.»

«Ja freilich, dir gebens die Silberketten um zwei Mark.
Zwölf Mark fuffzig habe ich gezahlt!»

Mit meinem Buben gab es immer Turniere zu jeder Tageszeit.

Er war sechzehn Jahre alt und benutzte die Abwesenheit seiner Eltern zum Ausfliegen.

Aber die O war immer hinterher und bei Walter, dem Roué, nicht beliebt.

Stets hatte er vielerlei Einfälle zur Hand, um sie zu täuschen und abzufahren.

Er versteckte seinen Smoking und alles, was dazugehört, in einem Paket unter dem Billard, legte sich ins Bett, machte auf sittsames Enkelkind und sagte der lieben O zärtlich gute Nacht.

Die liebe, gute O, die überall einen Braten roch, ließ ihr Forschertrieb nicht schlafen, sie erhob sich still von ihrem Pfühl, ging fahnden und entdeckte den Abendanzug.

Walters Enttäuschung war groß, als er diesen nicht fand. Er knirschte mit den Zähnen, war wütend, aber es nützte nichts, er mußte daheimbleiben und seine Abenteuer liquidieren.

Walter kam zum Film.

Es war Inflation, und ein englisches Pfund oder ein Dollar bedeutete ein Vermögen.

Da brachte er einmal aus dem Atelier Theatergeld nach Hause mit, auf dem zehn Pfund, fünf Pfund und ebenso Dollars aufgedruckt war.

Davon hatte er ein ganzes Paket und zeigte es stolz seiner Großmutter.

«Da schau her, O, was ich habe – ich bin ein reicher Mann.

Aber ich beschwöre dich, sage kein Wort davon dem Papa, denn er nimmt es mir weg und legt es auf die Sparkasse.»

«Was fällt dir ein, kein Wort kommt über meine Lippen», versicherte sie mit treuherzigem Augenaufschlag.

Sie besah sich die Scheine, zählte sie ungefähr zusammen und stürzte schnurstraks zu mir ins Herrenzimmer: «Du Leo, der Bua hat a Massa Geld, lauter Pfund und Dollar, nimm ihm's weg, sonst verputzt er's mit die Weiber.»

«Aber Mutterl», beruhigte ich sie, «das ist ja wieder so ein Gspaß von dem Buben, das ist ja Theatergeld, wertloses Papier.»

«So ein Lausbub, ein miserabliger, der kriegt jetzt ein paar Trachteln!»

Unsere O war neugierig, sehr neugierig, und das in einem Ausmaße, daß es schon pathologisch wirkte.

Auf diese Neugierde waren alle Verhohnepipelungen aufgebaut.

Greterl sagte ihr zum Beispiel: «O, ich möchte dir gerne etwas anvertrauen, aber du erzählst ja alles den Eltern, ich traue mich nicht.»

Da bettelte und bat die Mutter: «Geh, sag mir's, ich sag nichts, ich schwör dir's, wie das Grab werde ich schweigen.

Du kennst mich doch!»

Greterl ließ sie lange zappeln und sagte ihr dann irgend etwas ganz Belangloses oder erzählte ihr irgendeinen haarsträubenden Roman, bis sie merken mußte, daß sie zum besten gehalten wurde.

Walter wurde Filmstar in Berlin und benutzte jede freie Zeit, um uns in Wien zu besuchen.

Bei seiner Abreise gab er O eine fest zugeknotete Schachtel mit der Bitte, ihm diese aufzubewahren, aber nichts den Eltern zu sagen, denn sie beinhalte ein Geheimnis.

«Aber bitte, liebe O — nicht aufmachen», sagte er dringend.

«Walter, wo denkst du hin — kennst du mich von dieser Seiten?»

«Hauptsächlich Papa darf von der Existenz dieser Schachtel nichts ahnen — versprich es mir!»

«Nein, nein, du kannst dich auf mich verlassen, so wie ich's krieg, so hebe ich dir's auf.»

Beim Abschied flüsterte er mir ins Ohr: «Papa, ich werde noch nicht unten beim Wagen sein, wird die O schon hüpfen.»

Richtig, wir stehen beim Fenster, um ihm zuzuwinken, er steigt in sein Auto — auf Monatsraten, die er nie einhielt — da kommt schon die O fauchend herein und gellt: «So ein Lausbub, gibt mir eine Schachtel zum Aufbewahren, schnürt sie zusammen, daß man die Knöpf nicht aufkriegt, drinnen sind wieder drei Schachteln, alle fest zugebunden, und in der letzten liegt ein Zettel — da schau her:

Wer ist neugierig?

Unsere O!

Wer verklatscht den lieben Walter? —

Unsere O!

Pfui, O!

Sie war kaum zu beruhigen, ich mußte ihr versprechen, daß ich dem Knaben bei seinem nächsten Besuche ein paar Ohrfeigen gebe.

Eine Mahlzeit an unserem Tisch war ein Theater für sich, wenn die Kinder zu Hause waren.

Die arme O wurde besonders von Walter aufs Korn genommen, so daß ich oft meine kümmerliche Autorität ins Treffen führen mußte, um ihn zu zügeln.

Älter geworden, wurde sie schwerhörig.

Das heißt, verlassen konnte man sich nicht darauf, denn wenn sie etwas nicht hören sollte, hörte sie gut, auch wenn wir noch so leise sprachen.

Weil sie von dem Buben immer gefrozzelt wurde, war sie gegen ihn ablehnend und mißtrauisch.

Da sagte ihr Walter: «Großmama, sei nicht unwirsch — sei wirsch, du schaust drein, wie der grimme Hagen.»

Wütend stand sie auf und kam Klage führen.

«Leo, der Bua hat grüner Hagen zu mir gesagt, du mußt ihm das verbieten, das ist sicher wieder eine Beleidigung!»

Ein andermal flüsterte er ihr ins Ohr: «O, der Papa läßt dir sagen: Honny soit, qui mal y pense.»

«Er mi a!» war ihre Antwort.

Jedes Jahr im Mai machte sie ihre einzige Reise.

Mit dem Schlafwagen nach München und dann mit dem Auto nach Egern.

Wochen vorher war sie schon aufgeregt und mußte beruhigt werden.

Walter sagte bei Tisch: «Der Fahrplan ist geändert, der Zug geht nur bis San Franzisko.»

Entsetzt rief sie aus: «Jessas, da muß ich ja umsteigen!»

Walter war daheim, sein Urlaub war zu Ende.

Sie fragte: «Wo fahrst denn hin?»

«Nach Amerika, Großmutterl.»

«Aber gelt, zum Nachtmahl bist wieder da?» —

Wenn es manchmal zu dick kam, fragte sie meine Frau: «Is wahr, Liesi?»

«Ja, Mutterl.»

Ihre Liesi war für sie die höchste Instanz, die einzige, die sie immer bei all den Uzereien in Schutz nahm und unseren Humor etwas eindämmte.

Sie weiß nicht, wie alt sie ist.

Mit ihren achtundachtzig Jahren seufzte sie, daß sie schon alt sei und es bald dahin gehe.

Da wende ich immer ein: «Aber Mutterl, du bist ja noch jung, du bist ja erst siebzig, das ist doch gar kein Alter.»

«Wieso bin ich siebzig?»

«Also paß auf: Du bist im zweiundfünfziger Jahr geboren, dividiert durch neun bleibt fünfunddreißig, mal zwei ist siebzig.»

«Is wahr, Liesi?»

«Ja, Mutterl.»

«Jessas, siebzig Jahr bin ich schon?

Schrecklich!»

Wenn man älter wird, stellen sich allerlei Beschwerden ein, die stören.

Man wird zum Hypochonder.

Wahllos schluckt man alle Medizinen, die man von Bekannten und Verwandten empfohlen bekommt.

So auch unsere O.

Gottlob ist sie kerngesund, jammert aber unentwegt, daß es ihr überall weh tut.

Unser Hausarzt, der sie kennt, geht auf alles ein, hört aufmerksam ihre Klagen an, verschreibt ihr recht lange Rezepte, harmlos und nichtssagend, und versichert, daß es darauf bestimmt besser werden wird.

Dann ist sie zufrieden.

Einmal klagte sie wieder über irgendein eingebildetes Leiden, und der Doktor wurde gerufen.

Er war verreist, es kam sein Vertreter.

Wütend kam sie zu Tisch und berichtete: «Einen neuen Doktor

haben sie mir geschickt — der Trottel darf mir nicht mehr herein!»

«Warum denn, Mutterl?»

«Er hat gesagt, es fehlt mir nix!»

Möge es die Vorsehung fügen, daß der Doktor noch lange sagen
kann, es fehle ihr nichts, und daß uns unsere geliebte O noch viele
Jahre gesund erhalten bleibt.

FILM

Als ich in Berlin den Bürgermeister Nasoni in Gasparone spielte, erschien eines Abends in meiner Garderobe ein Filmproduzent und fragt mich, ob ich nicht Lust hätte, eine schöne, humoristische Rolle in einem Film zu spielen.

Ich sagte freudig zu, und in einigen Tagen stand ich zum ersten Male im Filmatelier, in einer für mich ganz neuen und interessanten Welt.

Meine erste Rolle war ein eifersüchtiger Diplomat, dem seine reizende junge Frau ganze Geweihsammlungen aufs Haupt setzte.

Der Film hieß: Der Frauendiplomat.

Dieser erste Versuch gelang, und nun stehe ich auf einsamer Höhe im Darstellen von alten Trotteln, ängstlichen Pantoffelhelden und Bramarbaseuren.

Bin eine singuläre Erscheinung auf dem Gebiete galliger Kracher, Einspänner und Fiakerkutscher.

Ich fühle mich in dieser Betätigung unsagbar wohl.

Meine lieblosen Kameraden sagen, wenn ich einen Fürsten spiele, bin ich auch ein Kutscher.

Der Neid.

Nur meine liebe Frau war mit dieser Lösung so gar nicht einverstanden.

Sie litt, wenn die Leute über mich lachten, was ja nicht wundernehmen kann, war sie doch durch Jahrzehnte immer gewöhnt, mich als hehren, schimmernden Helden zu sehen, der mit Musikbegleitung Schlachten gewann und dreimal die Woche Helden- und Liebestode starb.

Alle die Herrlichkeiten ernster und tiefer Musik hat sie in unmittelbarer Mitarbeit ein Menschenalter hindurch mit mir geteilt und empfand diese Umstellung als Abstieg.

Zum Glück war ich anderer Ansicht.

Ich sah den Wunschtraum meiner zartesten Jugend, Komiker zu werden, als — sagen wir, älterer Herr in so befriedigender Weise erfüllt.

Der Film hat für mich, dem es vierzig Jahre hindurch Lebenszweck war zu arbeiten, nicht nur den Wert des Geldverdienens, sondern wirkt sich hauptsächlich auf mein seelisches Wohlbefinden aus.

Die Arbeit erhält mich jung und läßt den Gedanken, daß ich laut Fahrplan eigentlich schon in die Würste gehören sollte, nicht aufkommen.

Wenn ich auch nicht mehr viel zu sagen habe, so ist es ja doch besser, als wenn ich als alter, verbitterter Pensionist in irgendeinem Stadtpark die Goldfische füttern und mich über meine tenorsingenden Nachfolger ärgern würde.

Als ich am 1. September 1934 von meiner geliebten Wiener Oper Abschied nahm und in Pension ging, fühlte auch meine Frau den Segen, der mir aus dieser Umstellung erwuchs, und freut sich heute mit mir, wenn etwas gut gelingt und ich im Film Erfolge habe.

Nun löste ein Film den andern ab, ich bekam Gelegenheit, in diese Sphäre Einblick zu tun, und darf mir jetzt erlauben, etwas darüber zu sagen.

Ich habe mich ganz eingelebt und kann mir gar nicht vorstellen, daß ich jemals etwas anderes gemacht haben könnte, als auf der Leinwand zu flimmern.

Ich nehme mir vor, einhundertviereinhalb Jahre alt zu werden und im Atelier zu sterben.

Aus Pflichtgefühl allerdings erst, nachdem ich die letzte Szene fertiggedreht habe, damit der Film erscheinen kann.

Nur bei der Premiere kann ich mich nicht mehr verbeugen, weil ich da schon tot sein werde.

Die Welt ist schnellebig, und unsereiner ist bald vergessen.

Wenn man nicht mehr auf der Bühne steht und sich dem Publikum nicht immer wieder in Erinnerung bringt, weiß bald niemand mehr, daß man überhaupt jemals existierte.

Ein kleines Beispiel erlebte ich in Binz auf Rügen, wo ich einige Erholungstage verbrachte.

Ich saß mit meiner Frau auf einer Bank am Meer, da kam ein Ehepaar vorbei.

Die Frau stieß ihren Gatten in die Seite und sagte in besonders gelungenem Sächsisch: «Guck emol — eener vom Kientopp.» —

Die Meine war empört.

Sie wollte hören: «Guck emol — der Othello, der Lohengrin, der Tannhäuser.»

Auch in Berlin geschah es nach einem Film, in dem ich den letzten Fiaker spielte, daß am Kurfürstendamm eine Dame, auf mich mit dem Finger zeigend, laut aufschrie: «Der Kutscher.»

Nach der Premiere dieses Fiakerfilms in Berlin hörte ich auf der Treppe einen Begeisterten hinter mir sagen:

«Mensch, haste Worte? Den Mann haben diese Idioten vierzig Jahre lang Oper singen lassen.»

Man sieht, es ist von meiner Sängerlaufbahn, die gewiß eine sehr schöne war, nicht viel übriggeblieben, und nur eine immer kleiner werdende Anzahl von Musikliebhabern erinnert sich meiner Opernabende und Konzerte.

Die Menschen halten sich an das, was ist, und nicht an das, was war.

Damit habe ich mich schnell abgefunden, und ich kann mit Freuden konstatieren, daß ich mich selten im Leben so glücklich und zufrieden fühlte wie jetzt.

Alle die großen Aufregungen des Sängerberufes fallen fort.

Das quälende Angstgefühl, ob man auch gut bei Stimme sein, ob auch das, was man in der Studierstube in redlicher Arbeit und rastlosem Schaffen erworben hat, im Ernstfalle, vor dem Publikum, restlos da sein wird.

Restlos war es nie da.

Die Aufregung verschlang immer einen großen Prozentsatz.

Die ewige Sorge vor Erkältung, der geringsten Zugluft, vor Menschen, die eventuell einen Schnupfen haben könnten.

Immer das Verteidigen seiner Stellung, um auf der Höhe zu bleiben, denn es ist leichter, eine gewisse Höhe zu erreichen, aber viel schwerer, sich auf dieser Höhe zu erhalten.

Der hirnzerfressende Ehrgeiz ließ einen nicht ruhen, man mußte sich alles versagen, was das Leben angenehm macht.

Das liegt nun hinter mir, ich lebe zum erstenmal ein Leben, das mich freut, rauche den ganzen Tag, esse was mir schmeckt und sitze in Zugluft, ohne sie zu bemerken.

Wenn ich einmal heiser bin, eine Erkältung habe, freue ich mich wie ein Schneekönig, daß mir diese Heiserkeit den Buckel runterrutschen kann.

Das Filmen ist nicht immer eitel Wonne und Seligkeit, auch dieser Weg will erkämpft sein, fordert viel Energie, und die Strapazen, die zu überwinden sind, sind keine kleinen.

Aber man ist noch jung, lächerlich rüstig und weiß, daß man noch nicht zum alten Eisen gehört.

Doch ich schweife allzusehr vom beabsichtigten Thema ab und gehe in medias res.

Medias res hat schon oft zu bedauerlichen Mißverständnissen geführt und wird von Unkundigen für ein Abführmittel gehalten.

Das ist falsch.

Es ist lateinisch, und wenn man es häufig gebraucht, kommt man in den Geruch eines akademisch Gebildeten.

Den Film und alles, was um diesen herum geschieht zu schildern, ist eine schwierige Aufgabe, ich weiß es.

Aber ich habe den Mut, sie zu meistern.

Ich fange beim Produzenten an.

Die Produzenten sind diejenigen, die den Film machen.

Das kann erst geschehen, wenn sie den Geldgeber gefunden haben, der den ganzen Kitt bezahlt.

Vor der Regelung der Filmproduktion schossen in Wien und Prag Filmgesellschaften wie die Pilze aus dem Boden.

Wenn zum Beispiel so ein Unternehmungsfroher zweihundert Schillinge besaß, gründete er im Kaffeehaus eine Filmgesellschaft.

Ein abendfüllender Film kostete damals ungefähr hunderttausend Schillinge.

Die auf seine zweihundert Schillinge fehlenden neunundneunzigtausendachthundert lieh er sich aus.

Bekam er weniger, machte er dennoch den Film und blieb eben den Schauspielern und allen andern in diesem Beschäftigten das Geld schuldig.

Da war es wichtig, auf seiner Hut zu sein und die Verträge so zu machen, daß man seinen Macherlohn rechtzeitig bekam, wenn der Produzent noch ein Interesse an der Mitwirkung des Darstellers hatte.

Diese Erfahrung sammelte man leider erst, wenn man mehrere Male zum Opfer geworden war.

Das hat sich seither gottlob geändert.

Niemand darf heute einen Film beginnen, bevor er den Betrag, den dieser kostet, auf der Bank erlegt hat.

Der Produzent gehört zu den geplagtesten und am wenigsten beneidenswerten Berufen.

Am besten wird dies durch eine kleine Anekdote illustriert.

Unser Herr Jesus Christus kommt mit dem Erzengel Gabriel auf die Erde, um sich da unerkannt umzusehen.

Da sieht er drei Männer beisammenstehen, die bitterlich weinen.

Er frägt den ersten: «Warum weinest du?»

«Mir hat eine Überschwemmung mein Hab und Gut dem Erdboden gleichgemacht, meine Herden und Felder sind verwüstet, ich bin ein Bettler.»

Der Herr legte ihm die Hand aufs Haupt und sprach:

«Gehe nach Hause, du wirst alles so vorfinden, wie es war.»

Zum Zweiten: «Warum weinest du?»

«Eine Feuersbrunst hat mein Haus zerstört, hat mich zum armen Manne gemacht, ich weiß nicht, wohin ich mein müdes Haupt legen soll.»

Der Heiland berührt ihn mit der Hand und spricht:

«Gehe ruhig heim, du wirst alles vorfinden, wie es war.»

Dann fragte er den Dritten, der besonders stark weinte:

«Warum weinest du?»

«Ich bin Filmproduzent.»

Da setzte sich der Herr zu ihm und hat mit ihm mitgeweint.

Der Produzent ist umgeben von einem Stab Schaffender, die seine Mitarbeiter sind.

Da ist vor allem der Autor des Buches.

Dieser sendet zuerst ein Exposé ein, das die Handlung in solch kurzen Umrissen angibt, daß man keine Ahnung hat, worum es sich handelt.

Dann liefert er — in vielen Fällen auch nicht — das Drehbuch.

Ich habe ungefähr fünf Filme gemacht, wo dieses Drehbuch erst nach Fertigstellung des Filmes und in drei Fällen gar nicht erschien.

Das Drehbuch ist, wenn man es verlangt, um Einblick in seine Rolle zu bekommen, immer in Arbeit oder es wird geändert oder man bekommt es morgen, weil es beim Vervielfältigen ist.

Dieses Morgen dauert Wochen und ist nie zu erleben.

Manchmal war ich schon drei bis vier Tage im Atelier und habe mit dem Regisseur die nächstfolgende Szene geschrieben und den Dialog ausgeknobelt.

Nur der Regisseur wußte was geschieht, für uns Schauspieler war es ein düsteres Geheimnis.

Die wichtigste Person, die Seele des ganzen Filmes, ist der Regisseur.

Auf dessen Schultern ruht alles.

Er ist für alles verantwortlich, besonders für den Erfolg des Filmes.

Er ist der erste und geht als letzter weg.

Den ganzen Tag, ohne Pause, außer der Mittagspause, muß er unermüdlich seine Anordnungen geben, sich um das Licht, die vorteilhaftesten Bildeinstellungen kümmern, die Schauspieler führen, den Dialog überwachen und darauf achten, daß die Extemporierblüten nicht allzu hoch in die Stengel schießen und kein Klamauk das Niveau herabdrückt.

Man behauptet, daß besonders ich in diesem Punkte scharf im Auge behalten werden muß, weil ich angeblich die Neigung habe, dem Affen Zucker zu geben.

In die profane Sprache übersetzt, ist es die Beschuldigung, daß mir das künstlerische Maßhalten fremd sei – ich übertreibe.

Selbst meine Gattin neigt zu dieser Ansicht, was mich schmerzt.

Wenn dem auch so wäre, was aber nicht der Fall ist, so müßte sie, als die mit mir eng Verbundene, wenn auch nicht meine Partei ergreifen, so doch sich jeder Zustimmung enthalten.

Sehr traurig!

Es gibt, je nach Temperament, verschieden geartete Regisseure.

Sie sind ausnahmslos gute Kameraden der Künstler, haben für jeden Scherz Verständnis, und bei der Arbeit entwickelt sich fast immer ein herzliches Einvernehmen, das diese Arbeit zur Freude macht.

Man ist traurig, wenn der Film zu Ende ist und man auseinandergeht.

Regisseure, die ihre Autorität durch zielbewußte Ruhe betonen und sich zur Arbeit Zeit lassen.

Dann gibt es solche, die sich ein Riesenprogramm, ein Mammutpensum für den Tag vornehmen und auch ausführen.

Diese Bedauernswerten gönnen sich kaum eine Atempause, um ein Wurstbrot zu essen, lassen sich dieses von ihrem Regieassistenten in den Mund stecken und empfinden es als harten Schlag, daß sie selber kauen müssen.

Eine Einstellung löst die andere ab, kaum ist eine Szene zu Ende gedreht, steht schon die nächste bereit, und nach einer kurzen Wiederholung des Dialoges geht es weiter.

Da ist so ein Riesenfilm, der normalerweise drei bis vier Wochen zu seiner Fertigstellung braucht, in zehn bis zwölf Tagen abgedreht.

Diese Regisseure sind die Lieblinge der Produzenten, weil sie viel Geld sparen helfen.

Dann gab es vor mehreren Jahren auch Regisseure, die unsicher waren, herumtasteten und sich von jedermann dreinreden ließen.

Mit vielem Herumstreiten und dem Verteidigen der jeweiligen

Meinung wurde viel Zeit vergeudet, bis endlich die Toilettenfrau entschied, wo die Kamera zu stehen hat.

Die Schauspieler litten unter dieser Führung, wurden fahrig, unruhig und verloren die Lust zum Darstellen.

Der Vizekönig des Films ist der Kameramann.

Er hat in photographischer Hinsicht alle Verantwortung, muß ein großer Könner sein, Geschmack und Begabung für bildhafte Schönheit und Poesie haben.

Er wird von zwei Kameraassistenten und einem Oberbeleuchter unterstützt.

Der Oberbeleuchter befehligt seine Scheinwerferarmada nach den Weisungen des Kameramannes.

Die Bauten, die im Atelier aufgeführt werden, sind bewunderswert. Bis ins kleinste Detail wird alles naturecht nachgebildet, ganze Straßen werden aufgebaut, daß man sich nach Alt-Wien, Italien oder in den Orient versetzt glaubt.

Jedes abgeschlagene Eck an einem Hause, jedes Fenster, alles von einer Echtheit und Naturtreue, daß man sprachlos ist, was alles bedacht und in Erwägung gezogen wurde.

Die wertvollsten Einrichtungen in den Wohnungen, Porzellan, Bronzen und Bilder sind da, alles an seinem Platz.

Der Beleuchter hat nun die Aufgabe, diese Bauten auszuleuchten, das heißt sie photographierbar zu machen.

Rund um den Raum, in Deckenhöhe, sind Gerüste gebaut, auf denen die Scheinwerfer nebeneinanderstehen, die von einigen Männern bedient werden.

Diese Scheinwerfer haben eine ungeheure Leuchtkraft und werden an die Stelle lanciert, wohin der Lichtstrahl zu fallen hat.

Tausenderlei ist zu beobachten.

Manchmal sind drei- bis vierhundert Komparsen im Saal, die alle ihr Licht haben müssen, um effektvoll photographiert werden zu können.

Kein Reflex, der von irgendeinem glänzenden Gegenstand erzeugt wird, darf übersehen werden.

Solche Reflexe müssen erst matt gemacht werden, Flecken, die das Bild beeinträchtigen, müssen verschwinden und so vieles mehr.

Man kann sich also ungefähr von der Summe der Arbeit und erforderlichen Mühe eine Vorstellung machen.

Trotz gewissenhaftester Aufmerksamkeit schafft die Tücke des Objekts ganz unwahrscheinliche Fehler, welche die an jedem Abend stattfindende Vorführung der tags zuvor gemachten Szenen grausam enthüllt.

Ein kleines Beispiel dafür, was einem der renommiertesten Kameramänner passieren konnte.

Wir hatten einen Riesensaal mit großer Komparserie gedreht, fast dreihundert Personen waren in der Dekoration, in allergrößter Aufmachung, Rokokokostümen, weißen Perücken und Staatskleidern.

Es wurden Totalaufnahmen mit Balletteinlagen gemacht.

Was das bedeutet, welche Mühe es macht, bis alles stimmt und klappt, kann nur der beurteilen, der einmal einen Einblick in diese verwirrende Angelegenheit bekommen hat.

Am nächsten Abend, in der Vorführung war alles prächtig gelungen, nur eine Kleinigkeit störte: es baumelten acht, mit Leinenhosen und Filzpotschen bekleidete, kräftige Männerbeine vom Plafond hinunter.

Die Arbeiter, die die oberen Scheinwerfer bedienten, setzten sich geruhsam neben ihren Lampen nieder und ließen ihre wenig salonfähigen Beine frisch und fröhlich hinunterflattern, in der Meinung, daß ja so hoch oben doch nicht photographiert würde.

Durch einen unseligen Zufall hat der Kameramann dieses Unheil nicht bemerkt oder die Arbeiter haben ihre Beine erst nach dem Einleuchten hinuntergehängt.

Die ganze mühselige und vor allem viele Tausende verschlingende Arbeit war umsonst und mußte noch einmal gemacht werden.

So gibt es unzählige Gefahren, denen zu begegnen ist.

Spiegel schafften oft große Verlegenheit, wenn plötzlich in diesen nicht zum Film gehörende Funktionäre, wie Garderobiers, Maskenbildner, Feuerwehrmänner und so weiter, aufscheinen.

Überall die Augen haben, alles überdenken, alles sehen, aufpassen, wie ein Schießhund — eine zermürbende Arbeit.

Daher gibt es Kameramänner, die so gewissenhaft sind, daß sie jede kleine Szene so lange einleuchten, bis man irrsinnig wird und besagtem Kameramann am liebsten eine Injektion mit Glasscherben gäbe.

Angesichts dieser Gewissenhaften kann sich jeder Unternehmer, ohne zu zögern, mit einem zehnmillimetrigen ungebrauchten Gasschlauch das Leben nehmen.

Nun der Tonmeister.

Dieser ist für den Ton verantwortlich, sitzt in seiner hermetisch abgeschlossenen Tonkammer und meckert.

Er steuert den Ton.

Klingt es zu leise, dreht er auf, ist der Schauspieler zu laut, dreht er zurück.

Das Mikrophon ist wohl das Niederträchtigste, was es gibt.

Empfindliche Tonmeister — und alle sind sie empfindlich, sind besonders bei Gesangsaufnahmen sehr schwierig und können uns Sänger an den Rand der Nervenheilanstalt bringen.

Die Aufnahme eines kleinen Liedes war immer eine langwierige Angelegenheit, bis all die Ausgleiche gefunden wurden, die eine tadellose Wiedergabe verbürgten.

Das Mikrophon ist, wie ich schon oben sagte, grausam.

Jeder Hauch, das leiseste Rascheln, wird ins Überdimensionale gesteigert, jeder Atemzug des Sängers kommt dem Schnauben eines arabischen Vollbluthengstes gleich und man erscheint leicht im kompromittierenden Lichte eines Asthmatikers.

Wie schwierig das war, geht daraus hervor, daß man an einem Liedchen mehrere Stunden arbeitete.

Alle möglichen Faktoren stellen sich ein, diese Arbeit noch zu verschärfen.

Vor allem einmal ist es das Mikrophonfieber des singenden Darstellers, der die große Empfindlichkeit dieses Instrumentes kennt und weiß, was ihm bevorsteht.

Kaum hat man begonnen, wird man schon vom Tonmeister mit einem durch Mark und Bein gehenden Tuten unterbrochen, das, je öfter es in Aktion tritt, desto zermürbender und nervenzerstörender wirkt.

Dann sammeln sich beim Singen ganze Schleimgebirge im Halse an, die nach Losräuspern lechzen.

Räuspern darf man nicht. — Grauenvoll. —

Auch das Orchester befällt hier und da eine gewisse Nervosität.

Es schleichen sich falsche Noten, Kikser und andere Erscheinungen von Unsicherheit ein, die immer wieder eine Wiederholung nötig machen.

Diese verlangt auch der dirigierende Kapellmeister, ebenso der Tonmeister, der sehr musikalisch und feinhörig sein muß.

Es gibt Stimmen, die sich besonders für das Mikrophon eignen, die im Saal oder auf der Bühne ganz mittelmäßig, oft sogar heiser klingen und durch das Mikrophon und auf Schallplatten faszinierend wirken.

Umgekehrt kommen edle, pastose Stimmen ziemlich belämmert zur Wiedergabe.

Es gehört eine große Übung dazu, die Wiederhaarigkeiten des Mikrophons zu meistern.

Durch weites Zurücktreten, Näherkommen, zur Seite und bei besonders knalligen Stellen auch nach rückwärts singen, muß man suchen, den Ausgleich zu finden.

Das ist alles sehr schön, das geht im Radiostudio oder beim Besingen von Schallplatten, aber im Film wird man dabei photographiert.

Da muß man all dieser Hilfsmittel entraten und kann nur durch die Dynamik der Tongebung diese Felsenriffe umschiffen.

Man muß dabei spielen und ein Gesicht im Geiste der Rolle machen.

Um diesen mühsamen Aufnahmen mit dem direkten Ton aus dem Wege zu gehen, hat man eine sehr bequeme Methode erfunden.

Das Playback.

Im Synchronisierungsraum sitzt man vor dem Mikrophon, singt sein Lied, nur als Ton aufgenommen, solange und so oft, bis es voll und ganz gelungen ist und die Zufriedenheit des Tonmeisters gefunden hat.

Wenn die Gesangsszene im Atelier an die Reihe kommt, wird einem das Lied vorgespielt und man braucht nur die Mundbewegungen so zu machen, daß das Gesungene synchron wiedergegeben wird.

Nur um sein Spiel hat man sich zu kümmern und ist von der Singerei ganz unabhängig.

Wie günstig.

Beim Playback kann auch wunderbar gemogelt werden.

Wenn ein Schauspieler keine Stimme hat, so singt für ihn ein guter Sänger sein Lied im Tonraum und er macht im Bilde nur seine Mundbewegungen.

Da ist es des öfteren vorgekommen, daß ein vollständig stimmloser Star als wunderbarer Sänger in der Kritik gefeiert wurde.

Wie ungünstig.

Durch das Playback hat das Singen im Film seine Schrecken verloren, es wird viel Zeit, Geld und Nervenkraft gespart.

Der Aufnahmeleiter.

Dieser hat die Aufgabe, dafür zu sorgen, daß die Arbeit vorwärtsgeht und jeder an seinem Platz seine Pflicht tut.

Es schleichen sich bei der Arbeit oft Beratungspausen ein, die ins Uferlose gehen würden, wenn nicht der Aufnahmeleiter, die unterstützende, sagen wir die exekutive Hilfskraft des Produzenten, da wäre.

Er ist der Lautsprecher der Arbeitsgemeinschaft.

Er hat zu brüllen.

Er brüllt.

Brüllt unvermittelt.

In eine eingetretene Stille, in der die Kameraden in Gruppen beisammenstehen, knallt plötzlich seine rauhe Stimme:

«Warum drehen wir nicht? — Woran liegt es?» —

Manchmal schreit er auch ganz ohne jede Ursache, nur um zu demonstrieren, daß er da ist: «Ruhe! — So kann man nicht arbeiten.»

Es wird ein Opfer gefunden, dieses angekreischt und dann wird weitergedreht.

Wenn man zur Aufnahme einer Szene schreitet, scheinen vor den Ateliertüren rote Lampen auf, die jedem den Eintritt verwehren.

Vom Tonmeister wird ein unangenehmes, sirenenartiges Rufzeichen gegeben.

Falls es nach diesem Zeichen noch jemand wagen sollte, etwas lauter zu atmen, zu hämmern — im Atelier wird immer gehämmert — oder sonst ein Geräusch zu machen, ergießt sich über den Unseligen ein Schwall gebrüllter Ermahnungen des Aufnahmeleiters.

Der Aufnahmeleiter ist der am wenigsten Zartfühlende.

Er hat mit Brachialgewalt Ordnung und Disziplin in eventuell eintretende Chaosse zu bringen, namentlich wenn große Massen an Komparsen, Musikern und Arbeitern aufzubieten sind.

Es obliegt ihm auch, die nötigen Typen zu engagieren, wodurch er zu einem großen Machtfaktor für die kleinen Mitarbeiter wird.

Es gibt eigene Filmbörsen, meist in einem Kaffeehaus, wo alle Arbeitsuchenden versammelt sind und der Aufnahmeleiter seine Wahl treffen kann.

Dann umgibt den Regisseur noch ein Stab von Hilfskräften.

Der Regieassistent, die Kamerahelfer und Mikrophonbeamten, die mit dem Mikrophon in allen möglichen, meist unmöglichen Stellungen, in Ecken zusammengekauert, auf dem Bauche rutschend oder in schwindelnden Höhen der Rede des Schauspielers folgen müssen, um den Ton einzufangen.

Einer der Allerwichtigsten beim Film und für uns Schauspieler der Schicksalsschwerste, ist der Cutter.

Zu deutsch der Schneider des Films.

Er schneidet den Film und klebt die Szenen aneinander, gibt diesem die endgültige Fassung, wie ihn das Publikum im Kino zu sehen bekommt.

Es ist ein sehr schwieriges und verantwortungsvolles Amt, denn der Erfolg unserer Arbeit hängt viel vom guten effektvollen Schnitt ab.

Wenn ein Film noch so gut gearbeitet ist, kann er leicht derart verschnitten werden, daß die Wirkung ausbleibt.

Für uns Schauspieler ist der Cutter, wie ich schon oben sagte, manchmal recht betrüblich.

Jeder Film muß nach Vorschrift eine gewisse Länge haben, die nicht wesentlich überschritten werden darf.

Nun kommt es vor, daß ideenreiche Regisseure immer wieder neue Szenen hinzukomponieren.

Da ist der Film auf einmal so lang, daß alles, was nicht direkt zur Handlung gehört, der Schere zum Opfer fallen muß.

Mir ist es leider schon einige Male geschehen, daß ich eine ziemlich große, schöne Rolle spielte und mich bei der Premiere als Edelkomparsen auf der Leinwand sah.

Beschämt hielt ich mir das Taschentuch vors Gesicht, damit mich die Leute nicht erkennen und sagen: Aha, da sitzt einer von den Statisten.

Der Zuschauer im Kino hat keine Ahnung, welch eine betäubende Summe von Arbeit, Erfindungsgabe, Geduld und rastlosem Fleiß erforderlich ist, um eine Szene, die im Bruchteil einer Minute abrollt, fertigzustellen.

Bühnenarbeiter schwirren umher, die alle Handgriffe vor, während und nach der Aufnahme zu leisten haben.

Ferner sind da: Garderobiers und Garderobieren, Friseure und Friseusen, die für die Adjustierung der Herren und die Schönheit der Damen zu sorgen haben.

Der Friseur, jetzt heißt er Maskenbildner, Gesichtsgärtner, in besonders berücksichtigungswerten Fällen auch Verschönerungsarchitekt, schminkt den Schauspieler und macht ihm die für seine Darstellung erforderliche Maske.

Es sind meist Künstler in ihrem Fach, die die genauen Töne der Farben wissen müssen, die sie dem begnadeten Seelenmaler ins Gesicht schmieren, damit sie mit dem Licht vor der Kamera harmonieren.

Da gibt es Matadore, die einem das Gesicht so verändern, daß man im Spiegel einem völlig fremden Herrn gegenübersteht, dem man sich vorstellen möchte.

Vor jeder Einstellung hat er genau zu prüfen, ob die Augen in Ordnung sind, die Nase nicht glänzt, eine Schweißperle auf der Stirn glitzert, und mit dem Rotstift immer wieder schwellende Lippen auf den Mund zu zaubern.

Man muß in immer neu erblühter Schönheit vor der Kamera stehen und Adonisallüren zur Schau tragen.

Ein schweres Amt.

Die Kamera ist, wie das Mikrophon, unerbittlich und namentlich bei Großaufnahmen erbarmungslos.

Jede Falte, jedes Kramperl und Runzelchen gibt sie preis.

Besonders bei Liebhabern und schönen Frauen ist es nicht so leicht, alles Störende, das im Leben oft reizvoll ist, aber auf dem Bilde nicht gut wirkt, auszuschalten oder wenigstens auf ein Minimum zu reduzieren.

Nun zu den Schauspielerinnen und Schauspielern.

Vor allem die Primadonna.

Die ist je nach ihrer Popularität mächtiger oder weniger mächtig.

Die große Mehrzahl ist zum Fressen lieb und namentlich, wenn sie große Künstlerinnen sind, bescheiden, pflichtbewußt und rührend willig bei der Arbeit.

Kommt hier und da so ein kleiner Machtfimmel vor, ist ein energischer Regisseur oder besser ein rauher Aufnahmeleiter da, um alle Kinkerlitzchen auf ein erträgliches Maß herabzuschrauben.

Auch unter den Männern gab es in früherer Zeit Primadonnen, die sich großer Neigung beim Publikum erfreuten, hauptsächlich waren es die sogenannten schönen Liebhaber, denen man gerne und oft mit einem Fleischhauerbeil den Scheitel ziehen wollte.

Aber, wie gesagt, das kommt heute nicht mehr vor und gehört der Vergangenheit an.

In den letzten Jahren habe ich immer nur prachtvolle Kolleginnen und Kollegen zu meinen Partnern gehabt. Alle, ohne Ausnahme, erweisen sich als williges Werkzeug des Regisseurs und sind auf das innigste mit dem Erfolge unserer Arbeit verbunden.

Die Filmarbeit ist manchmal recht schwer und anstrengend.

Wenn es heißt: Um neun Uhr drehfertig — so bedeutet das, um sechs Uhr morgens aufstehen.

Die Ateliers liegen gewöhnlich weit draußen, außerhalb der Stadt.

Um sieben Uhr wird man mit dem Produktionsauto abgeholt und steht um neun kriegsbemalt und arbeitsbereit zur Verfügung.

Da kommt der Aufnahmeleiter in die Garderobe und teilt mit, man habe noch ein Weilchen Zeit.

So ein Weilchen dauert beim Film oft viele Stunden.

Man wartet, wartet, wagt nicht, es sich bequem zu machen, weil man jeden Augenblick gerufen werden kann, sitzt herum, getraut sich nicht zu schneuzen, damit man sich nicht die Farbe von der Nase schmiert, wird müde und verdrossen.

Es kam vor, daß ich um neun Uhr morgens fix und fertig war und man mir am Abend um sieben sagte: «Sie kommen nicht mehr dran.»

Wenn man in der Dekoration arbeitet, verfliegt die Zeit im Nu, nur das Warten ist zum Auswachsen.

Am unangenehmsten ist es, wenn man den ganzen Tag in seiner Garderobe herumsitzt, erst am Abend um sechs drankommt, müde und abgespannt eine heikle Szene zu spielen hat, die Frische und Konzentration verlangt.

Nachtarbeit ist auch eine Schattenseite unseres Berufes.

Des öfteren bin ich um vier Uhr morgens zerschlagen und wie im Traum aus dem Atelier gegangen und wußte nicht, wie ich in mein Bett kam.

Um neun Uhr hieß es wieder auf dem Posten sein.

In Wien kam einmal um zwei Uhr nachts, nachdem ich schon seit neun Uhr morgens gearbeitet hatte und in den Einstellpausen stehend einschlief, der Produzent zu mir und meinte in herzlich jovialem Ton: «So, Kammersängerl, jetzt machen wir noch das Liederl.»

Das lehnte ich aber ab mit der Begründung, ich sei keine Lerche.

Ging heim in mein Kinderzimmer, legte mich in mein Gitterbettchen und schlief wie ein Murmeltier.

Dann haben wir wieder freie Tage, wenn andere Baukomplexe an der Reihe sind, in denen man nicht beschäftigt ist.

Diese freien Tage sind unwahrscheinlich schön und machen alle Strapazen bald vergessen.

Ein Kapitel für sich sind die Außenaufnahmen.

Die sind von der Produktion am meisten gefürchtet, weil man von der lieben Sonne abhängig ist, die oft Manderln macht, sich hinter den Wolken versteckt, dann wieder strahlend hervorkichert, um im geeigneten Moment, wenn alles zur Aufnahme bereit ist, zu verschwinden, als ob sie uns frozzeln wollte.

Gewöhnlich wird auch so lange herumgeknobelt und arrangiert, bis sich die Sonne ärgert und justament ihr Antlitz verhüllt.

Als ich den Falstaff spielte, sind wir tagelang auf einem Feld gestanden, es war im Oktober, kalt und unbehaglich, bevor wir die wenigen Szenen, die normal in wenigen Stunden leicht hätten abgedreht werden können, tätigen konnten.

Allerdings für Kollegen, die mit Tagesgage engagiert sind, sind die Außenaufnahmen bei unsicherem Wetter günstig.

Ihre Gesichter strahlen, wenn sich so eine Wolke vor die Sonne schiebt und keine Anstalten macht, wegzugehen.

Allgemeine Enttäuschung gibt sich kund, wenn sie wieder da ist, und so mancher fleht um eine Honorarwolke, die ihm am nächsten Tag wieder Arbeit gibt.

Aus diesem Grunde werden die Außenaufnahmen, wenn diese in einem Film etwas reichhaltig sind, sehr oft im Süden gemacht.

Dort, so nimmt man an, soll die Sonne immer scheinen.

Viele Male hat man sich aber geirrt und ist nach Wochen verzweifelt aus dem sonnigen Süden heimgekehrt, weil es die ganze Zeit wie aus Schaffeln gegossen hat.

Einige haben von dem vielen Regen Schwimmhäute zwischen den Zehen mit heimgebracht.

Nach diesen Schilderungen kann man sich leicht ein Bild machen, was so ein Großfilm kostet, wenn man bedenkt, daß ein Tag im Atelier mit Tonapparatur, Licht und Belegschaft ungefähr zehntausend Mark verschlingt.

Dazu kommen noch die enormen Nebenspesen, wie Bauten, Bedienungspersonal, Schauspieler, Komparsen, Requisiten und vielerlei mehr.

Die Möbel, Antiquitäten, Nippes, Porzellan und so weiter werden von Unternehmungen, die sich nur mit dem Verleihen befassen, ausgeliehen.

Man ist beim Film mit den geliehenen Sachen nicht sehr rücksichtsvoll.

Was da ruiniert und oft unnötig zerstört wird, geht auf keine Kuhhaut.

Das Geld spielt keine Rolle, so heißt es, und ich machte oft Beobachtungen, die mich mit Herzweh erfüllten.

Aus einem Museum waren Zinnkrüge ausgeliehen, die für einen Kenner ausgesprochene Unika bedeuteten.

Altehrwürdige Krüge, in all den schönen, der damaligen Zeit ihr Gepräge gebenden Formen.

Die Komparsen, die an einem Wirtshaustische saßen, hatten mit den Krügen den Wirt herbeizuklopfen.

Nach der Aufnahme waren alle diese wunderbaren Exemplare ganz zerbeult und unförmlich geworden.

Ein ethischer Schaden, nicht wieder gutzumachen.

Ein andermal war ein liebliches Biedermeierzimmer mit den originellsten Möbelchen angefüllt.

Ein köstlicher Anblick.

Unter anderem stand auch eine kleine Kommode da, von reizender Form, mit Lädchen und Geheimfächern.

Bei der Einstellung nahm das Kästchen die Sicht auf den Schauspieler — es war etwas zu hoch.

Kurzerhand wurden der Kommode alle vier Füße um zehn Zentimeter einfach abgeschnitten.

Ich fragte, warum denn dieser Vandalismus?

«Spielt keine Rolle — wird bezahlt.»

Daß der Humor und die sogenannte Viecherei bei der Arbeit nicht zu kurz kommen und diese würzen, ist selbstverständlich.

Nur wenn die Fröhlichkeit allzu üppige Blüten treibt und ins Chaotisch-Idiotische ausartet, wird man vom Regisseur sanft, aber energisch darauf hingewiesen, daß Kino gemacht wird und man von diesem Klamauk absehen möchte.

Besonders ich habe schon wieder, wie in der Schule damals, selbstverständlich unverschuldet, das Renommee eines Ruhestörers.

Immer wieder dieser Titel. Es ist zum Verzweifeln.

In der Langeweile des Wartens und im Übermut der Jugend werden mit Assistenz von lebensfrohen Regisseuren alle möglichen Scherze ersonnen, wie man einem Kameraden einen Schabernack antun und etwas Frohsinn ins Atelier tragen könnte.

Sehr beliebt ist es, den Liebhaber neben seine Partnerin zu stellen und längere Zeit da stehen zu lassen.

Der Regisseur läßt ihn seinen Satz reden, Empfindungen und Gefühle über sein Antlitz huschen, ihn in Stimmung versetzen, und er wird gar nicht photographiert, sondern nur seine Partnerin.

Dies geschieht aber nur Anfängern, die noch nicht das richtige Augenmaß dafür haben, ob sie von der Kamera erfaßt sind oder nicht.

Mir geschah dies nur einmal, weil ich ein heller Kopf bin und solche Sachen selber mache.

Ein lieber, prominenter Kollege war auch einmal das Opfer eines solchen Scherzes.

Er spielte einen Clown, sein Gesicht war schneeweiß angemalt.

In einer Szene hat er mir unter Tränen zu erzählen, daß er eine Tochter besitzt, die in einem vornehmen Pensionat untergebracht ist und nie erfahren darf, daß ihr Vater Zirkusclown ist.

Der Regisseur sagte: «Lieber Hans, da mußt du Tränen in den Augen haben, du mußt weinen.»

«Ich kann aber nicht auf Kommando wana.»

«Hans, aber du mußt weinen, die Tränen müssen dir nur so über die Wangen kollern.»

«Ich kann aber net wana, bei mir kollert nix.»

«Hans, es muß kollern, da muß eben Zwiebel her.»

Er ließ einen Teller mit Zwiebeln kommen, die wurden in feine Scheiben geschnitten und verbreiteten einen beizenden Geruch auf fünf Meter im Umkreise.

«Da mußt du fest riechen, Hans.»

Pflichtschuldigst atmete er den Zwiebelduft ein und in Bälde rannen ihm die Tränen in Strömen über die Backen, hinein in den Zwiebelteller.

Dann begann die Szene zwischen uns, und nach der Aufnahme, als die Farbe schon ganz von seinem Gesicht weggewaschen war, erfuhr er, daß nur ich photographiert wurde, er umsonst geweint hat, und daß es ein Gspaß war.

Wir lachten uns einen Ast, weil wir eingeweiht waren, er lachte mit, weil ihm nichts anderes übrigblieb und er kein Spaßverderber ist.

Ich hatte auch die Freude, mit der großen Künstlerin Adele Sandrock zusammenzuarbeiten.

Sie spielte meist kommandierende Tanten und Großmütter, und mich ließ man die aufgeregten Onkel und herrschsüchtigen Ekel spielen.

Wegen der Gleichheit unserer Rollen nannte man mich in Kameradenkreisen «Adelerich».

Beim Film ist es immer so, daß man in eine Kategorie, zum Beispiel als polternder Onkel, eingereiht wird.

Dann spielt man diese polternden Onkels bis zur Erschlaffung in jedem Film der nächsten Jahrzehnte.

Man hat durch den Raum zu wuchten und gutmütig zu poltern.

Wenn man sich aber genügend ausgepoltert hat, hängt einem das Wuchten derart zum Halse heraus, daß man selig ist, wenn man einmal sanft sein darf.

Eine Zeitlang war ich auf Wiener Fiaker festgelegt, die immer wieder, und schon zum Erbrechen, Grinzing und seinen Wein zu besingen hatten.

Da ich kein Weintrinker bin und für die Grinzinger Poesie ungewöhnlich wenig Verständnis aufbringen konnte, bekam ich vom bloßen Singen der Weinlieder — Sodbrennen.

Wenn ich mit Adele zusammen spielte, gab es immer viel Unterhaltung.

Sie war stets pathetisch, begönnerte alle und schloß jede Ansprache mit einer Belehrung oder einem kategorischen Ratschlag.

Ich hatte sie gut studiert und darum liebgewonnen.

Besonders als sie mich des öftern «junger Mann» titulierte.

Wenn auch immer zurechtweisend, aber doch — junger Mann.

Sie war das Gewissenhafteste in ihrer Arbeit, das man sich vorstellen kann.

Auf die Sekunde war sie zur Stelle und kam überwältigend vorbereitet in die Dekoration.

Da fehlte nicht ein Komma, alles saß und war prachtvoll zurechtgelegt.

Wenn sie, was leider zu selten der Fall war, poetisch oder gemütvoll sein durfte, verbreitete sie eine Atmosphäre hoher, künstlerischer Sendung um sich, von der wir alle ergriffen waren.

Allerdings dauerte es nicht lange, so erfolgte gleich wieder an irgend jemand eine Ermahnung, was er nicht tun solle und was sie an ihm grauenvoll finde.

Auf mich den strengen Blick gerichtet, beanstandete sie: «Wie kann man nur so dick sein, Sie fressen wohl den ganzen Tag — was?»

Da hieß es, mit Humor alle diese Attacken parieren und sie womöglich verblüffen.

Es war gerade Umbau, wir saßen beisammen auf einem Sofa, und ich rauchte, wie immer, meine Zigarre.

Auf einmal fing sie künstlich zu husten an: «Ach wie scheußlich. Müssen Sie diesen stinkigen Zummel immer im Munde haben? Gräßlich ist das.»

Da hielt ich ihr die Zigarre unter die Nase und sagte:

«Gnädige Frau, Sie sagen stinkiger Zummel?

Das ist ja eine herrliche Zigarre, kostet dreißig Pfennige. Das Stück — nicht die ganze Schachtel.

Von Boenike — Floros del Zores — heißt sie — wundervoll.»

Fassungslos über meine lange, freche Rede zischt sie:

«Na, Slezak, ich müßte Ihre Frau sein, da würden Sie etwas erleben.»

Ganz verbindlich antwortete ich: «Verehrte gnädige Frau, wenn Sie meine Frau wären, hätte ich Sie schon lange erschlagen.»

Sie fuhr zurück und deklamierte:

«Nein Slezak, das hätten Sie nie getan, dazu sind Sie ein zu guter Mensch.»

Eines Tages wurde ein Dialog geändert.

Der Regisseur brachte es Adele schonend bei.

Da brauste sie auf: «Geändert? — Wieso geändert?

Mit welchem Recht geändert?

Ich komme vorbereitet ins Atelier, und Sie ändern? Ha!

Den Film hat Beelzebub in seinem Zorn erschaffen.»

Da meinte ich: «Liebe gnädige Frau, schimpfen Sie nicht über den Film, denn wenn wir den nicht hätten, könnten wir beide im Tiergarten die Rotkehlchen füttern oder die Haare von den Stachelbeeren rasieren.»

Sie sah mich entgeistert an und flüsterte friedlich: «Sie haben recht, Slezak.»

Rauschte aus dem Atelier mit dem geänderten Dialog, um ihn zu lernen.

Wir hatten eine Szene, die in ihrer Wohnung spielte.

Ich kam herein und hatte zu sagen: «Ach, gnädigste Frau, verehrte Freundin, ich ging eben vorbei und dachte mir, du gehst jetzt herauf zu deiner lieben Freundin, die du schon dreißig Jahre nicht mehr gesehen hast.»

«Vierzig», knallt sie dazwischen.

Ich machte in meiner Rolle ein betretenes Gesicht.

Da unterbrach sie die Probe und fragte:

«Sagen Sie, Slezak, machen Sie diese Kokolores auch in der Aufnahme oder nur jetzt bei der Probe, zur Erheiterung der Belegschaft?»

«Nein», antwortete ich, «das mache ich auch, verehrte gnädige Frau, in der Aufnahme, denn diese Kokolores haben mich so wahnsinnig berühmt gemacht.»

Sie straffte sich zu ihrer ganzen Höhe, rollte die Augen und dröhnte mit vollem Organ: «Das wollte ich nur wissen.»

Die Arbeit ging dann in herrlicher Stimmung weiter.

Sie nahm nichts übel, war nur immer erstaunt, wenn man ihr die richtigen Antworten gab, weil es niemand wagte, ihr zu widersprechen.

Ihr Heimgang hat mir sehr weh getan.

Ungezählte köstliche Stunden hat sie uns geschenkt, und mit ihr ist eine von den ganz Begnadeten von uns gegangen.

Ein schwerer Verlust für den Film.

Aufnahmen, bei denen gegessen wird, sind Lichtblicke.

Auf dem Tische stehen wundervolle Gerichte aus einem allerersten Restaurant.

Man sieht das und wird, ob man will oder nicht — zum Gurnemanz.

Die Anlässe sind mannigfaltig.

Hochzeitsmähler sind nicht so interessant, weil man da nie zum Essen kommt und das Mahl meist in besorgniserregend vorgeschrittenem Zustand gezeigt wird.

Nichts ist mehr da, als Reste vom Dessert, nur zum Wegräumen zu gebrauchen.

Aber es gibt — unberufen — auch Szenen, wo ganze Platten wohlgefüllt auf den Tisch kommen.

Als ich einige Male diese Platten vor der Aufnahme durch Herauskletzeln von besonders leckeren Bissen um ihre Schönheit brachte, ehe sie photographiert waren, hat man sie mir erst im allerletzten Moment hingestellt.

Bei den Proben mußte ich mit Pappendeckelersatz das Essen markieren.

Ein verstimmendes Mißtrauensvotum.

In einem Film gab es Nürnberger Bratwurstglöcklewürstel, die ich besonders adoriere.

Vor dem Beginn der Szene habe ich so viele gegessen, daß zur Aufnahme keine mehr da waren.

Ich wurde von der Produktion als Fresser gebrandmarkt und vor der ganzen Arbeitsgemeinschaft zur Ordnung gerufen.

In einem anderen Film mußte ich Lambethwalk tanzen.

Meine Einwendung, daß ich das nicht kann, wurde verworfen.

Man sandte mir einen Balletmeister und die dazugehörige Tanzpartnerin.

Mit vieler Mühe und einem Mindestmaß an Grazie erlernte ich den Tanz.

Bei der Aufnahme scheine ich derart gut abgeschnitten zu haben, daß mir meine Kameraden eine Urkunde überreichen, in der ich das Prädikat: «Choreographisch wertvoll» erhielt.

Also auch auf diesem Gebiet stellte ich meinen Mann.

Allerdings meine Frau hoffte inbrünstig, daß dieser Tanz vom Cutter herausgeschnitten wird.

Sie war entsetzt.

Eine erschwerende, verwirrende und aus diesem Grunde kostspielige Angelegenheit ist angesagter, hoher Besuch.

Eines Tages hieß es: um elf Uhr vormittags kommt die Regierung mit dem Präsidenten an der Spitze, um uns Künstler, wie es hieß, bei der Arbeit zu belauschen.

Der Produzent sprach: «Du, lieber Leo, als Nestor» — ein sehr angenehmer Titel — Nestore sind immer alte Kracher und Mummelgreise —, «also du als Nestor sollst im Namen deiner Kollegen an den Präsidenten eine Begrüßungsrede halten.»

Nun ist das Reden, besonders das freie Reden, eine Sache, zu der mir die geringste Begabung fehlt.

Sie wurde nie gepflegt, ja sogar von meinen Freunden systematisch unterdrückt.

Wenn ich daheim Gäste hatte, ans Glas klopfte und diese begrüßen wollte, riefen alle wie aus einem Munde:

«Kusch! Keine Störung beim Essen.»

Tief erschrocken setzte ich mich wieder und kam so nie dazu, eine Rede zu halten, mich im Reden zu üben.

Kein Wunder, daß ich sehr aufgeregt und vor dieser Rede zur Arbeit unbrauchbar war.

Auch für alle andern war der Vormittag verloren.

Die Herren kamen in großer Zahl, das Orchester spielte die Hymne, die Produktion begrüßte in wohlgesetzten Worten den Präsidenten, dieser dankte, dann kam ich mit meinem Begrüßungsgestammel, der Präsident dankte, brachte für den Film Hoffnungen zum Ausdruck, dann wurden die Herren so günstig placiert, daß wir uns nicht rühren konnten, und das Belauschen unserer Arbeit begann.

Alles wurde so gemacht, wie wir es immer machen.

Kommandorufe des Oberbeleuchters an seine Scheinwerferbemannung ertönten: «Schmeiß den Zwarafuchsga auf die linken Seiten — noch a bissel, guat is, weicher machen, net so viel, halt, jetzt hast es.»

Der Aufnahmeleiter brüllt genau so sein — Ruhe — und wenn er ein Byzantiner ist — *bitte* Ruhe.

Der Regisseur probt mit uns, bessert aus, wiederholt, und dann heißt es: «Aufnahme.»

Etwas, was wir schon gestern gedreht hatten.

Der Regisseur gebietet: «Die dritte Einstellung wird kopiert.»

Als ich erstaunt fragte, warum denn das Gestrige noch einmal gemacht werde, meinte er: «Weil wir kein Material in der Kamera haben, man bei hohem Besuch immer zerstreut ist und die Arbeit nichts wird.»

Die Regierung wurde zu einem Imbiß geführt.

Ich durfte nicht mitimbissen, sondern mußte weiterarbeiten, mit Material in der Kamera.

Liesi, mein Gemahl, sitzt immer irgendwo in einem Winkel, wo sie niemanden stört, und wird, wenn ich es, wie man ungerechtfertigterweise sagt, zu toll treibe, gerufen, um mich durch ihre Autorität in angeblich normale Bahnen zu lenken.

Alle Strapazen teilt sie mit mir, ist immer um mich mit dem Drehbuch, mir meine Rolle vorsagend, und wenn ich einmal das rede, was im Drehbuch steht, bekommt sie vom Regisseur Blumen und wird beglückwünscht.

Liesi ist ein schwerer Beruf, aber sie meistert ihn durch ihre unwahrscheinliche Güte und Liebe.

Allmählich wird so ein Film fertig, man sagt sich adieu und freut sich auf den nächsten.

Mehrere Monate später, nachdem man den Film schon lange vergessen und drei weitere hinter sich hat, kommt von der Produktion eine Einladung ins Haus geflattert, zur Premiere.

Mein Gott, was hat dieses Wörtchen Premiere in meiner Sängerlaufbahn für Schrecken in sich geborgen.

Wie ruhig und kalten Blutes geht man zu so einer Filmpremiere. Alles ist schon fertig, nichts kann mehr schiefgehen, leider kann man aber auch nichts mehr ändern.

Nur der Regisseur und der Produzent sitzen in Todesangst da, ob der Film einschlägt und ein Geschäft wird.

Uns Künstlern kann in mammonialer Beziehung nichts mehr geschehen, denn unsern Macherlohn haben wir bereits ausgegeben.

Der Zweck der Einladung zur Premiere ist, sich dem Publikum zu zeigen, Stimmung zu machen und die Leute, falls sie – – durch unsern Charme abzulenken.

Man hat sich auf der Bühne, sooft es verlangt wird, zu verbeugen.

Ich versuche es immer, mich von dem Verbeugen zu drücken, denn in Zivil haben nur ein Feschak, das heißt ein Adonis, oder schöne, junge Kolleginnen, die Idole sind, eine Berechtigung.

Da strömen die jungen Mädchen in alle drei Vorstellungen, um «Ihn» oder «Sie» zu sehen. Den Willi Fritsch, Hans Söhnker, die Leander, Marika Rökk, die Tschechowa und wie die Idole alle heißen.

Man kommt sich als reiferer Herr ein wenig als bestellt und nicht abgeholt vor und hat das feste Gefühl, daß die Leute sagen:

«Ach, was will denn dieser Nichtmehrganzjunge?»

Nein, da verkrümel ich mich immer, wenn es nur halbwegs geht.

Aber wenn ich mich bedanken muß, da verbeuge ich alle meine Kameraden in Grund und Boden, setze mein strahlendstes Gesicht auf, ziehe das Embonpoint ein, fahre mir durch die Haare, um ihnen etwas Geniales zu entreißen, und wenn nicht zufällig einer der Liebesgirrer, der Sirupjünglinge neben mir steht, mache ich noch immer einen, wenn auch nicht überwältigenden, so doch Eindruck.

Das muß man dreimal machen, bei drei Vorstellungen, und bei der dritten so tun, als ob man soeben erst gekommen wäre.

Während der Vorstellung sitzt man gewöhnlich in einer Loge auf dem Nobelbalkon des Kinos.

Ich werde das Kino von nun ab lieber Lichtspielhaus nennen. Kino erinnert so an Kintopp und Kintopp klingt so unehrerbietig.

Also man sitzt am Nobelbalkon des Lichtspielhauses mit seiner Familie, neben und um einen die Arbeitskameraden mit sämtlichen Anverwandten, und läßt den Film abrollen. Teils freut man sich, teils zerspringt man und atmet auf, wenn einem der Cutter wenigstens ein bissel was gelassen hat.

Zehn Minuten vor Schluß kommt einer der Herren Direktoren und bittet die Künstler auf die Bühne.

Das ist der Grund, warum ich noch nie einen meiner Filme zu Ende sah.

Man wird durch ein Künstlerzimmer geführt, wo Sandwiches und Cocktails angerichtet sind.

An denen muß man als Platoniker vorübergehen.

Dann steigt man auf einer Drehkrankheit erzeugenden Wendeltreppe immer im Kreise hinunter und kommt ganz schwindlig auf der Bühne an.

Wenn nach Schluß des Films der Applaus ertönt, wird man auf der Bühne scheinbar zwanglos gruppiert.

Der Vorhang geht hoch.

Die Damen bekommen Blumen, die für alle drei Vorstellungen frischgehalten werden müssen, die Herren bekommen nichts.

In Wien bekommen die Herren jedesmal einen Lorbeerkranz aus Blech, wunderbar nachgemacht, mit einer Schleife.

Der Kranz bleibt für weitere ungezählte Premieren im Theater zurück, die Schleife mit der Widmung an den Künstler darf man sich mitnehmen.

In Berlin gibt es meist ein kleines Büfett, aber keinen Kranz.

In Wien gibt es einen Kranz, aber kein Büfett.

Ich überlasse es meinen lieben Lesern, zu raten, was mir lieber ist.

SCHMERZLICHES ERLEBNIS

Es war in Paris.

Vor Jahren schon.

Ich gastierte an der großen Oper und war schon damals, wie auch leider heute noch, für lukullische Genüsse nicht unempfänglich.

Auf dem Boulevard des Italiéns hat Appenrodt, ein Deutscher,

ein wunderbares Delikatessengeschäft, zu dem ich täglich pilgerte, um mich an den in der Auslage ausgebreiteten und besonders appetitlichen Würsten, Pasteten und anderen Delikatessen, meist heimatlichen Ursprungs, zu erbauen.

Vertieft in die Vorstellung, wie herrlich dieses oder jenes wohl schmecken möge, und dem Vorsatz, im nächsten unbewachten Augenblick mir diese oder jene Wurst zu leisten — stand ich da.

Ich betone unbewacht, denn seit ich erwachsen bin, muß ich mich kasteien, werde kontrolliert, damit ich nichts esse, was dick macht. Leider machen die besten und reizvollsten Sachen dick.

Immer ist Liesi, mein Gemahl, an meiner Flanke, und wenn ein Wurstladen auftaucht, zieht sie mich liebevoll zur Seite und flüstert mir besorgt ins Ohr: «Leo, denke an deine Figur, an deine Heldengestalten.»

Bin ich aber einmal unbewacht, dann stehe ich lange vor so einem Fressaliengeschäft, starre hinein und denke, wie ungerecht es ist, daß der, der das Essen erfunden hat, noch kein Monument besitzt.

So auch dieses Mal bei Appenrodt.

Als ich längere Zeit dagestanden hatte, sehe ich in der Auslage als Spiegelbild eine ziemlich große Menschenmenge, die herzlich lacht und sich offensichtlich großartig amüsiert.

Gleichzeitig fühle ich an den Waden eine eigenartige Wärme.

Ich wende mich um und sehe, wie gerade ein Riesenhund das Haxel hebt und meine Beine als Eckstein benützt.

Gleichzeitig erschallt ein Gebrüll der stets anwachsenden Menge, und ein besonders Beherzter ruft mir, auf den Hund zeigend, zu «C'est déjà le sixième!»

Zu deutsch: «Das ist schon der sechste!»

KLEINES ABENTEUER

> Komm den Frauen zart entgegen,
> Du gewinnst sie auf mein Wort;
> Doch wer keck ist und verwegen,
> Kommt vielleicht noch besser fort.
> Goethe.

Ich machte Kur in Karlsbad.

Jeden Morgen holte mich mein Freund Maxi zum Brunnen ab, um auf der alten Wiese zu schlendern und von Bekannten die uninteressantesten Sachen zu erfahren, wie ihm oder ihr die Kur bekam, wie die Nacht schlecht oder gut gewesen sei und so weiter.

Vor dem großen Wäschegeschäft Braun, im Hotel Pupp, wo ich wohnte, sahen wir zwei reizende Mädchen stehen, die in die Herrlichkeiten der Auslage vertieft waren.

Da wir beide damals, besonders ich, nicht aus Holz waren, pürschten wir uns an die Mädchen heran und belauschten folgendes Gespräch im schönsten Prager Deutsch, mit einem reizenden slawischen Anklang:

«Schau, Mali — der Busenhalter — sechsundfünfzig Kronen.»

«No, weißt du, so was. — In Prag bekomme ich ihn bei der Anka am Wenzelplatz um zweiunddreißig.»

«Wie absonderlich. — Karlsbad ist doch nicht weit von Prag. Wirklich absonderlich.»

Mich packt der Übermutsteufel, ich lüfte den Hut und flüstere mit meinem bezauberndsten Lächeln: «Liebes Fräulein, ich mache Ihnen einen Vorschlag, geben Sie mir zwei Kronen und ich halte Ihnen den Busen, so lange Sie wollen.»

Die beiden Damen drehten sich empört um und begannen sehr laut um Hilfe zu rufen.

«Eine Frechheit — man belästigt uns.»

Ich erschrak sichtlich, und um den Schaden gutzumachen, meinte ich: «Meine Damen, ich sehe, es ist Ihnen das auch noch zu teuer, ich mache es umsonst.»

Neuerliche Empörung, die sich zum Toben steigerte und in dem Rufe nach der Polizei gipfelte.

Mein Freund Maxi benahm sich nicht als Freund, er suchte schon bei dem ersten Entrüstungskatarakt das Weite und ließ mich allein.

Als ich sah, daß diese beiden, in ihrer Aufregung noch netter ge-

Ich lüfte meinen Hut und flüstere . . .

wordenen Mädchen einen richtigen Skandal zu machen drohten, blieb auch mir nichts andres übrig, als unrühmlich schnell hinwegzueilen und schleunigst im Hotel zu verschwinden.

Eine Stunde später traf ich Maxi auf der alten Wiese und sagte ihm Unfreundliches.

Ich zog seine Freundschaft in Zweifel, weil er mir nicht auf Gedeih und Verderb gegen diese entzückenden Megären zur Seite stand.

Er war beschämt und lustwandelte zerknirscht neben mir her.

Da kam uns eine größere Gesellschaft entgegen.

Ich hatte das kleine Abenteuer bereits vergessen, da gab es mir plötzlich einen Riß, ich glaubte, das Blut gefriere mir in den Adern; wen sehe ich vor mir — die beiden Busenhalterdamen.

Ich wollte schnell zum Bäcker Uhl, mir eine Oblate kaufen, aber zu spät.

Man hatte uns schon begrüßt, und meine Angst, daß ich meines, sehe es ein, nicht üblichen Benehmens wegen zur Verantwortung gezogen werde, war grundlos.

Die beiden lachten mich jetzt freundlich an, sie scheinen erfahren zu haben, wer und wie harmlos ich bin, kein Wüst-, sondern nur ein Frechling.

Die Mädchen waren sehr nett zu mir und erbaten sich eine Postkarte mit Unterschrift.

Selbstverständlich erhielten sie diese mit der Widmung, daß ich ihnen die Ablehnung meines Vorschlages verzeihe.

Ich ertappte mich, daß in mir von neuem der Wunsch — aber nein, das schickt sich nicht. —

Leo benimm dich!

Damit war das kleine Abenteuer zu Ende.

Vor dem Hotel Pupp steht ein Goethedenkmal.

Vor diesem standen zwei Amerikanerinnen, nicht so hübsch wie die von vorhin, im Gegenteil — und ich hörte, wie die eine Miss zur andern sagte: «Oh — he has a very interesting face, this Mister Pupp.»

ABSCHIED VOM THEATER

Nichts dauert ewig, alles geht einmal zu Ende.

Nach meinem sechzigsten Geburtstag habe ich um meine Pensionierung gebeten, um am 1. September 1934 aus der Wiener Oper, der ich vierunddreißig Jahre angehörte, auszuscheiden.

Es war im April 1934, ich hatte noch zehn Vorstellungen bis zu Erfüllung meines Vertrages zu singen.

Ich sang den Othello.

War in bester Stimmung, das Publikum außergewöhnlich warm, die Zwischenakte wurden durchapplaudiert und nach dem Schwur im zweiten Akt schoß es mir durch den Kopf, daß dieser Abend ein herrlicher Schlußakkord wäre.

Nach der Oper heimgekommen, eröffnete ich meiner Frau:

«Liesi, heute habe ich zum letzten Male gesungen.

Die letzten zehn Vorstellungen schenken wir uns, denn so einen schönen Abend werde ich in dieser Abschiedsstimmung wohl kaum mehr haben.»

Sie verstand und stimmte mir bei.

Es war ein schwerer Entschluß, denn es ist keine Kleinigkeit, den Schlußpunkt hinter ein so reiches Künstlerleben zu setzen.

Aber ich war entschlossen und teilte am nächsten Morgen meinem Direktor diesen meinen Entschluß mit.

Ich bat ihn, mich nicht mehr anzusetzen und damit zu rechnen, daß ich nicht mehr auftrete.

Er war etwas bestürzt und meinte:

«Aber Slezak, Sie können doch nicht nach vierunddreißig Jahren so ohne weiteres verschwinden, ohne sich von Ihren Wienern zu verabschieden.»

Ich erwiderte: «Sehen Sie, lieber Herr Direktor, ich gehe nie zu fremden Begräbnissen, weil es mich zu traurig macht, warum soll ich zu meinem eigenen Leichenbegängnis gehen?

Jeden Abend, an dem ich in meine Garderobe zum Singen käme, würde ich zählen: jetzt sind es noch acht, noch sieben, sechs Abende.

Das regt mich unsagbar auf, darunter würden auch meine Leistungen naturgemäß leiden, und dann gar der Abschied — ich glaube, ich brächte keinen Ton heraus.

Ich habe Abschiedsabende von Kameraden erlebt und mir zugeschworen, mir dieses Herzweh zu ersparen.

Gestern habe ich einen besonders guten Abend gehabt und mit diesem will ich Schluß machen.»

Ich bat auch noch, der Presse nichts mitzuteilen, daß ich abgehe, denn dann kämen die Nekrologe.

Aus Erfahrung weiß ich, daß aus diesen Nekrologen die Hinterbliebenen, in diesem Falle noch ich selber, immer erfahren, was der tote Künstler alles nicht gekonnt hatte und wo er versagte.

«Lassen Sie mich ruhig weggehen, ich verzichte gerne auf die Zusicherung, daß ich in den Annalen des Opernhauses weiterleben und mein Name in goldenen Lettern in das Buch der Staatstheater eingetragen werde.

Ich weiß, daß, wenn sich die Türe hinter mir schließt, von einem Weiterleben gar keine Rede mehr sein kann.

Man ist einfach nicht mehr da — und Schluß.»

Er gab mir schließlich recht und half mir in liebenswürdigster Weise meinen Wunsch erfüllen, wofür ich ihm sehr dankbar bin.

In der Vollkraft meines Schaffens bin ich abgegangen.

Mein sehnlichstes Gebet, nicht als alternder Sänger noch singen zu müssen und bemitleidet zu werden, wurde mir erfüllt.

Auch hat mir den Abschied von meinem herrlichen Beruf und meiner über alles geliebten Oper die Filmarbeit erleichtert.

Dafür danke ich meinem Herrgott aus ganzem Herzen.

Steckbrief ist ein ominöses Wort und entbehrt nicht eines beunruhigenden Beigeschmacks.

Als ob ich etwas ausgefressen hätte.

Aber was tut man nicht alles, um eines originellen Titels willen.

Mein Name ist Leo — ich sage dies, weil es nämlich noch einen Slezak gibt — meinen Sohn Walter.

Ich bin einen Meter fünfundneunzig groß, imposant in der Erscheinung und, wie alle Bedeutenden, vollschlank.

Augenfarbe: tegernseeblau.

Haare: teutonenblond, bis auf die Schläfen, die schon etwas angegräuelt sind, aber hie und da noch lockig und so lang, daß sie schamhafte Blößen zuzudecken vermögen.

Schuhgröße: Als nach dem Friedensvertrag von Versailles alle Schlachtschiffe abgeliefert werden mußten, hat man mir meine Galoschen weggenommen, weil man sie für die kleinere Type eines unbemannten Unterseebootes hielt.

Ich bin geboren. Leider bin ich schon in dem Alter, wo man aus seinem Geburtsjahr kein Hehl zu machen und dieses nach vorne zu verlegen braucht.

Ich habe drei Jahre hindurch meinen sechzigsten Geburtstag gefeiert.

Öfters ist es nicht mehr gegangen.

Ich bin also über sechzig und in Mährisch-Schönberg im Sudetenland geboren.

Aufgewachsen bin ich in Brünn, wo alle echten Wiener herkommen. In Brünn hat sich alles für mein Leben vorbereitet.

Dort habe ich mit Riesenerfolg den Kindergarten absolviert, dann kam ich in die Volksschule, wo ich weniger reüssierte, um in der Mittelschule voll und ganz zu versagen.

Das alles ist zwar schon bis zur Erschlaffung bekannt, aber es gehört dazu, um ein erschöpfendes Bild zu schaffen.

Daß ich vor hundert Jahren beim Schmieden eines Schwertes sang und bei dieser Gelegenheit entdeckt wurde, kann ich nur als böswillige Erfindung anprangern und in das Land der Fabel verweisen.

Vor hundert Jahren war ich noch nicht auf der Welt.

Auch daß ich die Schlosserei erlernte, weiß man schon, und es ärgert sich jedermann, wenn er es immer wieder hört, und es entlockt keinem Menschen ein Erstaunen.

Dann wurde ich Sänger und sang vierzig Jahre hindurch.

Etwas reifer geworden, wurde ich es müde, als schimmernder Held einherzuschreiten, und ging in Pension.

Dann kam der Film und der in den Opern schlummernde Humor zum Durchbruch, ich wurde Chefkomiker.

Über mein Privatleben ist nicht viel zu sagen, wir sind eine sehr uninteressante Familie.

Wir sind uns untereinander sehr sympathisch und froh, wenn wir zusammensein können, was gerade jetzt der Fall ist, weil mein Junge zu Besuch im Elternhause weilt.

Er ist ein Elternhausweiler.

Besagter Sohn ist ein lieber Kerl und macht mir als Chefkomiker ernsteste Konkurrenz.

Ich sah ihn auf der Bühne, und wenn er nicht mein Sohn wäre, müßte ich neidisch sein auf ihn.

Meine Tochter Margarete, daheim Greterl genannt, tut dasselbe, was ich einst tat, sie singt.

Sie ist auch sehr lieb und macht ihrem Vater Freude.

Meine Enkelin Helga ist ein wackeres Mädchen und hat besonders bei Schul-Sammlungen bedeutende Erfolge.

Mit ihren Schulaufgaben weniger.

Aber sie ist zum Fressen und in der Familie wohlgelitten.

Ich habe meinen Wohnsitz von Wien nach Berlin verlegt, weil wir mit Kind und Kindeskind beisammen sein wollen und ich dabei an Fernsprechgebühren erspare, was die Übersiedlung gekostet hat.

Daß ich beabsichtige, einhundertviereinhalb Jahre alt zu werden und nicht eine Viertelstunde älter, habe ich bereits gesagt, halte es daher für überflüssig, dies noch einmal zu erwähnen.

Nun will ich aber diesen Steckbrief beschließen, sonst verscherze ich mir das Wohlwollen und die Sympathien meiner lieben Leser, deren ich so dringend bedarf.

ERLÄUTERUNGEN

Da mir unendlich viel daran liegt, daß meine lieben Leser alles er-
fassen und verstehen können, besonders die Kreationen, die der
deutsche Sprachschatz mir zu verdanken hat, will ich eine Erläu-
terung folgen lassen, aus der Sie die gewünschten Belehrungen
schöpfen und sich für das Leben mitnehmen können.

Ich kann es ja verstehen, daß es nicht jedermann gegeben ist,
meinem geistigen Adlerfluge zu folgen, und mancher, von der sichtbaren Schwere der Lektüre erdrückt, danach lechzt, zu wissen, worum es sich handelt.

Ich muß gestehen, daß selbst ich, der dieses Buch doch geschrieben hat, manchmal scharf nachdenken muß, was ich eigentlich
sagen wollte.

Ich hätte ja ebensogut Fußnoten machen können.

Da ich mich aber selber immer ärgere, wenn ich im besten Lesen
bin, von einem Stern oder einer Nummer gestört zu werden, hinun-
terrutschen zu müssen, um nachzulesen, was ich gelesen habe, sah
ich von den ominösen Fußnoten ab.

Ich nahm mir oft vor, diese Kommentarzeichen zu übersehen und
ruhig weiterzulesen.

Mein hochentwickelter Ordnungssinn, auch eine gewisse Neugierde, lassen das aber nicht zu und ich muß ausgleiten, um zu erfahren, was ich schon weiß.

Darum halte ich es für praktischer und angenehmer, wenn ich
eine Erläuterungstafel anfüge.

Weiß der Leser, was er liest, braucht er nicht auszurutschen.
Weiß er es nicht, hat er das beglückende Gefühl, daß es eine köstliche Tabelle gibt, die ihn aufklärt.

Er ist im Lesen meines bewunderswerten Buches nicht gehemmt,
nichts trübt seinen Genuß — er ist restlos glücklich.

Ich will nun chronologisch, in alphabetischer Reihenfolge, alle
Worte, die dem lieben Leser nicht ganz verständlich sein sollten,
ihm in rigoroser Form mundgerecht machen.

Wenn ich über mich nachdenke, kommen mir die Tränen der Begeisterung über mich in die Augen und ich muß, ob ich nun will oder
nicht, ein Hoch auf mich ausbringen, in das ich die freundlichen Leser einzustimmen bitte.

Abmurksen

Heißt in der Schriftsprache — umbringen.

Auch wird es vom Wiener mit — abkrageln — bezeichnet.

Wenn man auf jemand eine Wut hat, fühlt man das Bedürfnis, ihn abzumurksen.

Der Halbgebildete gebraucht — abkrageln.

Abmurksen ist umfassender, weil es mehrere Tode in sich schließt, während abkrageln sich nur auf Erdrosseln beschränkt.

Krageln kommt von Kragen, der ist am Hals — also daher erdrosseln.

Ich plädiere für abmurksen.

Auf dem letzten Loch pfeifen

In diesem Falle ist das letzte Loch kein Instrument, auf dem man als Virtuose Konzerte geben kann, sondern es bedeutet etwas Betrübliches.

Wenn jemand zum Beispiel den Tristan singt und ist im zweiten Akt derart fertig, daß er nicht mehr japsen kann, so nennt man das: «er pfeift auf dem letzten Loch.»

Es wäre interessant zu wissen, wie viele Löcher einem zum Pfeifen zur Verfügung stehen, um zu konstatieren, welches das letzte ist.

Es ist dies ungefähr dasselbe mit dem «von sich blasen». In Wien sagt man zu jemanden, der recht arrogant ist und wenig Leutseligkeit bekundet: «er bläst von sich.»

Vonsichbläser sind unbeliebt und gehören eigentlich gar nicht in diese Erläuterungen, weil ein Vonsichbläser in meinem Buche gar nicht vorkommt.

Schalten wir also den Vonsichbläser aus und bleiben wir bei dem Aufdemletztenlochpfeifer.

Der Vonsichbläser ist in diesen Erläuterungen überflüssig wie der Blinddarm.

Anstrudeln

Man kann es auch Weihrauchstreuen nennen.

Wenn man jemand etwas Angenehmes sagen und Verdienste feiern will, die der Betreffende gar nicht hat.

Angestrudelt werden Jubilare, Geburtstagskinder und Vorgesetzte.

Ausfratscheln — Er fratschelt ihn aus

Wenn man weiß, daß ein anderer etwas weiß, was man nicht weiß und man es gerne wissen möchte, dann gebraucht man alle mögliche List, um dem andern sein Wissen zu entreißen.

Man fratschelt ihn aus. —

Man zieht ihm die Würmer aus der Nase.

Selbstverständlich ist das Herausziehen der Würmer aus der Nase nicht wörtlich zu nehmen.

Denn erstens hat man ja nur in äußerst seltenen Fällen Würmer in der Nase, weil das ja unschön wäre, und dann — wo bliebe da die List, wenn man dem Partner in die Nase führe, da weiß er doch sofort, daß man ihm seine Würmer herausziehen will, und würde sich zur Wehr setzen.

Nein, das ist nur allegorisch gemeint und ist nichts anderes als — mein Gott, ich verwirre mich da in ein Dickicht, aus dem ich nicht mehr herausfinde.

Aber ich glaube, mein lieber Leser versteht mich.

Drahn

Wenn es heißt: wir gehn heute drahn, so bedeutet dies, daß man die Absicht hat, aus einem alkoholischen Lokal in das andere zu torkeln und erst am grauenden Morgen in diagonalem Zustand heimzukommen.

Es wird bei diesem Drahn eine ganz besonders üppige Fröhlichkeit vorgetäuscht, und einer macht dem andern vor, daß er sich großartig unterhält.

Hat der Wein dann seine Schuldigkeit getan und man ist stockbesoffen, ist man stolz und nennt sich einen alten Drahrer.

Es gibt eigens hierfür bestimmte Lieder, die diese alten Drahrer verherrlichen.

Sie werden auf der Pawlatschen gesungen und finden ungeteilte Bewunderung.

Pawlatschen — siehe bei «Pawlatschen».

Der Endeffekt bei Drahn ist ein ungeahnter Katzenjammer.

Feschak

Feschak ist gleichbedeutend mit Beau.

Das heißt zu deutsch schöner Mann.

Es soll angeblich aus dem Keltischen stammen, ist aber meines Erachtens mehr dem Brünnerischen entnommen.

Von Feschak ist das : fesch abgeleitet, das besonders in Wien ungewöhnliche Beachtung findet.

Dort ist alles fesch.

Auch Sachen, die nicht sehr erbaulich sind, werden als «fesch» bezeichnet.

Zum Beispiel: Wie war das Leichenbegräbnis des Powondra? Fesch — eine wirklich fesche Leich hat er gehabt. Das ist Feschak und fesch.

Flunsch

Flunsch ist ungefähr dasselbe wie «Schnoferl», nur ist das Beleidigt-sein tiefer ausgeprägt und wird nur in besonders berücksichtigungs-werten Fällen angewandt.

Frosch

In diesem Falle kein Quackfrosch aus dem Teich, sondern Frosch im Halse — bei Arien.

Wenn man nicht zu singen hat, kommt der Frosch nicht in Frage, man hat einen saubereren, leckeren Hals, und alles ist in Butter.

Sowie es aber zum Singen kommt, fühlt man plötzlich einen Kloß im Halse, der Wiener sagt Knödel — der sich vor die Stimmbänder schiebt und den man trachtet, wegzuräuspern.

Diesen Kloß, diesen Knödel, nennt man in unserer Sängersprache — Frosch.

Plural: Frösche.

Klamsch

Klamsch ist gleichbedeutend mit Vogel, Piepmatz oder geistig nicht normal.

Wir Künstler haben fast alle einen Klamsch.

Hat zufällig ein Künstler keinen, dann ist er kein Künstler.

Lampelschwaf

Das ist ein wienerisches, jeder Schriftsprache hohnsprechendes Wort und wird besonders wenn etwas wackelt angewandt.

Auch beim Zittern kann es seine Verwendung finden.

Lampelschwaf heißt, ins Norddeutsche übersetzt: Lämmer-schwanz.

Allerdings ist Lämmerschwanz nicht annähernd so wirkungs-voll.

Welch ein ethischer Unterschied, wenn man sagt: Er wackelt wie ein Lampelschwaf, oder er wackelt wie ein Lämmerschwanz.

Lämmerschwanz klingt so sachlich, so nüchtern, gegen das ein-schmeichelnde, biegsame Lampelschwaf.

Doch ich will mich nicht weiter in diese wichtige Streitfrage ver-tiefen, weil man mich sonst als Schwätzer brandmarken könnte und ich um die Gunst meiner Leser zittern müßte wie ein Lampelschwaf.

Mopsen

Mopsen ist identisch mit Langeweile, sich langweilen.

Die Gelegenheiten zum Mopsen sind zahllos.

Namentlich in Gesellschaft, wo es nichts oder nur spärlich zu essen gibt, und man muß geistreiche Gespräche über ein Thema anhören, das einen gar nicht interessiert, mopst man sich unwahrscheinlich.

Auch in einem Römerdrama mopst man sich bestimmt, denn sowie ein Römer mit seinem Helm, Blechschurz und nackten Beinen erscheint, ist die Langeweile da.

Da orientiert man sich, wo der Ausgang ist, um sich einen günstigen Abgang zu schaffen.

In einem Vortrag über die gewinnbringende Verwertung der Molkereiprodukte oder über die Aufzucht von Kühen, die uns die köstliche Magermilch spenden, kann man vor Langeweile sterben.

Dieses Thema ließe sich noch, zu einem eigenen Buche vereint, abwandeln, aber davon will ich absehen, weil sich meine Leser sonst mopsen würden.

Paperl
nennt man in Wien einen Papagei.

Unser Papagei nennt sich selbst «Paperl», weil er ein Wiener ist.

Wäre er aus Berlin, nennte er sich Papagei.

Eine blödere Erklärung des Paperls ist mir nicht eingefallen, was ich zu entschuldigen bitte.

Pappen
Pappen ist gleich Goschen, beim Preußen gleich Schnauze.

Der echte Wiener gebraucht Pappen meist, wenn er seinem Partner das Reden verbieten will.

Er sagt ganz stimmungsvoll: «Halt die Pappen.»

Goschen ist ein vulgärer Ersatz für Pappen und wird nur in besonders schweren Fällen von Affekt gebraucht, und so ein «Halt die Goschen» ist verletzend.

Infolgedessen wäre im Sprachgebrauch «Halt die Pappen» vorzuziehen.

Pawlatschen

Pawlatschen ist ein Podium, das in einem Wirtshause der Vorstadt aufgestellt ist.

Auf diesem befindet sich ein verstimmtes Pianino, das zur Begleitung der Duliähgesänge des jeweiligen Minnesängers bestimmt ist und klirrende Harfentöne von sich gibt.

Diese Pawlatschenbarden besingen meist den Stefansdom, den sie ihren alten Steffel nennen.

Auch der Wein und der aus diesem sich ergebende Rausch, den der Wiener einen Schwammer nennt, spielt in diesen Gesängen eine große Rolle.

Es wird die zweifelhafte Behauptung aufgestellt, daß es nichts Schöneres gibt, als «drahn» die ganze Nacht, bis einen die Sonne anlacht.

Drahn, bitte bei «Drahn» nachzulesen.

Auch daß das Muatterl a Weanerin war, daß es nur ein Wien gibt und der Weana nicht untergeht, wird bis zur Erschlaffung festgestellt.

Daher der Name — Pawlatschen.

Plemplematiker

Plemplematiker kommt von Plemplem.

Man kann es fast mit der wertvollen Erklärung des «Klamsch» identifizieren.

Wenn jemand Neigung zum Irrsinn hat und sich diese in harmloser Form äußert, sagt man: er ist plemplem.

Wie man einen Professor der Mathematik — Mathematiker oder Historiker nennt, heißt der mit Plemplem begnadete — Plemplematiker.

Pratzen

Wenn jemand so große Hände hat, daß es dem Handschuhmacher unmöglich ist, soviel Leder aufzutreiben, um diese zu bedecken, dann hat er Pratzen.

Wenn der Wiener lieblos wird, dann brauchen diese Voraussetzungen gar nicht zu stimmen, er sagt doch und trotzdem — Pratzen.

Trampel

Trampel nennt man ein weibliches Wesen, das im Raume wuchtet, alles herunterschmeißt, zerstört und zerbricht.

Wir hatten einmal so eine Fee, die durch bloßes Draufschauen die dicksten Messingornamente des Hängelüsters im Salon verbog.

Morgens beim Einheizen fiel ihr alles mit Dröhnen aus der Hand, daß an ein Weiterschlafen nicht mehr zu denken war.

Schritt sie durch das Zimmer, klirrten die Fenster und die Möbel wankten wie bei einem Erdbeben.

Auch sang sie bei der Arbeit heimatliche Lieder mit einer so scharfen Stimme, daß man sich mit dieser hätte rasieren können.

Wir haben uns von ihr getrennt.

Watschen

Watschen, Tachteln und Ohrfeigen ist dasselbe.

Eine Watschen entsteht, wenn man seinem lieben Nächsten mit der Hand so schnell und energisch ins Gesicht fährt, daß ein Knall und die mit diesem Hand in Hand gehende Gehirnerschütterung erzeugt wird.

Die Dynamik so eines Insgesichtfahrens kann bis zum Totschlag gesteigert werden.

Es gibt so gelungene Watschen, daß die nächste schon einer Leichenschändung gleichkommt.

In dieser Beziehung sei Mäßigung am Platze, weil das Töten eines Volksgenossen mit Unannehmlichkeiten verbunden ist.

Man verteile die Kraft so, daß nur eine Geschwulst die Backe ziert, die in vierzehn Tagen wieder abgeschwollen ist.

Auch trachte man es sich so einzuteilen, daß man nicht auf den Mund trifft, weil der liebenswürdige Partner sonst leicht seine Vorderzähne einbüßt, was mit Auslagen verbunden ist.

Eine Tachtel ist eine mildere Abart von der Watschen und mit dieser nicht zu vergleichen.

So eine Tachtel hinterläßt keinerlei körperlichen Defekt, ist also völlig uninteressant.

Die Ohrfeige ist etwas effektvoller als die Tachtel, aber sonst nicht weiter zum Nachdenken zwingend.

Mein hochentwickeltes Feingefühl sagt mir, daß es jetzt genug ist des grausamen Spiels.

Es gibt ja noch enorm viel zu erläutern, aber man darf an die Nervenstränge seiner geliebten Leser nicht überdimensionale Ansprüche stellen.

Es gibt Menschen, die eine harte Haut haben und absolut nicht empfinden, was sie ihren Mitmenschen zumuten dürfen.

Zu diesen will ich nicht gehören, darum schließe ich zu meinem Bedauern diese aufschlußreichen Erläuterungen und bringe mein Sichauslebenwollen als Pädagoge zum Schweigen.

Nun will ich nur noch der Hoffnung Ausdruck geben, daß der große Dienst, den ich meinen Lesern mit diesen Erklärungen leistete, auch anerkannt wird und allgemeines Wohlbefinden auslöst.

SCHLUSSWORT

Mit schwerem Herzen schreibe ich diese letzten Zeilen, die das Buch beschließen sollen.

Vor Wehmut bleibt mir der Humor, mit dem ich sie umrahmen wollte, im Halse stecken.

Es ist ein Abschied von etwas Liebem, das man sich in diesen zwölf Jahren zusammengetragen hat und hoffen durfte, daß es wieder ein Buch wird, weil man es abwarten konnte.

Das ist nun vorbei.

Ich kann nicht mehr viel abwarten und auch mit dem Erleben von Neuem, das des Schilderns wert wäre, ist es so ziemlich aus — — —.

Aber ich will nicht sentimental werden, sonst bekommt der Leser am Ende das Gefühl, daß er eine Tragödie in meinem Buche gelesen habe, denn der letzte Eindruck ist immer der bleibende.

Nein, dankbar sein will ich dem Schicksal, daß es mir ein so reiches Leben an der Seite meiner geliebten Frau geschenkt hat, und das Altwerden will ich so lange als möglich hinausschieben.

Vorerst arbeite ich noch, bin im Film immer mit jungen, frohen Menschen beisammen, mit denen ich jung und froh bleibe, und wenn es sich um irgendeine Lausbüberei handelt, bin ich noch immer an führender Stelle und gebe dieses Schellenzepter noch lange nicht aus der Hand.

So lange meine Lieben gesund sind und ich mit ihnen vereint sein darf, bleibt das Leben schön, auch wenn es einmal nicht schön sein sollte.

Der liebe Herrgott hat mir vier Gnadengeschenke auf den Weg mitgegeben — meine Stimme — mein Weib — meine braven Kinder und den Humor, der mir über alle schweren Stunden des Lebens, die keinem Sterblichen erspart bleiben, hinweggeholfen hat.

Dafür will ich aus vollstem Herzen dankbar sein.

So nehme ich denn Abschied von Ihnen, meine lieben Leserinnen und Leser, und sollte das Buch nicht so lustig sein, wie Sie es vielleicht erwarteten, seien Sie mir nicht gram drum, machen Sie mir keinen Stunk mit Meckern und Empörtsein, ärgern Sie sich heimlich, damit es niemand merkt.

Im Gegenteil, loben Sie es laut und vernehmlich, sagen Sie, es sei wunderbar, damit beglücken Sie den herzlich ergebenen

Egern am Tegernsee, 25. April 1940.   Verfasser

Inhalt